OS CAMINHOS DO

Exílio

JOSÉ MARIA RABÊLO · THEREZA RABÊLO

**OS PLANOS DOS GOLPISTAS EM 1964
PARA ASSASSINAR O PRESIDENTE GOULART
E DIVIDIR O BRASIL EM DOIS PAÍSES.**

GERAÇÃO

1ª edição – 1996

2ª edição — Outubro de 2016

Grafia atualizada segundo o Acordo Ortográfico da Língua Portuguesa
de 1990, que entrou em vigor no Brasil em 2009

Editor e Publisher
Luiz Fernando Emediato

Diretora Editorial
Fernanda Emediato

Assistente Editorial
Adriana Carvalho

Projeto Gráfico
Alan Maia

Capa
Letícia Rolim

Diagramação
Karina Cotta

Fotografias
Fernando Rabêlo e arquivos

Revisão
Maria Teresa Bastos

DADOS INTERNACIONAIS DE CATALOGAÇÃO NA PUBLICAÇÃO (CIP)
(Câmara Brasileira do Livro, SP, Brasil)

Rabêlo, José Maria
Os caminhos do exílio / José Maria Rabêlo.
2. ed. rev. e atual. -- São Paulo: Geração Editorial, 2016.

ISBN 978-85-8130-363-5

1. Brasil - Política e governo - 1964-
2. Exilados - Brasil - Biografia 3. Exílio
4. Memórias autobiográficas 5. Rabêlo, Thereza -
Exílio I. Título.

16-07596 CDD: 305.90691

Índices para catálogo sistemático

1. Exilados : Autobiografia 305.90691

GERAÇÃO EDITORIAL

Rua Gomes Freire, 225 – Lapa
CEP: 05075-010 – São Paulo – SP
Telefax.: (+ 55 11) 3256-4444
E-mail: geracaoeditorial@geracaoeditorial.com.br
www.geracaoeditorial.com.br

Impresso no Brasil
Printed in Brazil

DEDICATÓRIAS

Para Alicia, minha querida bisneta francesa, que, tão jovem, já começa a entender os rumos a seguir.

Aos companheiros Edmur Fonseca, Marco Antônio Coelho, Sérgio Miranda e Fernando Correia Dias, para sempre em nossa memória.

À presidente Michelle e a seu pai Alberto Bachelet, ela, vítima de tortura, e ele, morto nos cárceres da ditadura, como expressão de minha reverência e meu amor ao Chile.

Para Mário Soares, uma vida dedicada à causa do socialismo e da democracia.

A Dilma Rousseff, símbolo da coragem da mulher brasileira.

Para José Arthur Gonçalves de Almeida, amigo, mesmo sob os riscos da repressão, num reconhecimento que eu jamais poderia deixar de fazer.

ÍNDICE

SEGUNDA PARTE

Um Longo Hiato em Nossas Vidas

TERCEIRA PARTE

Uma Família Brasileira no Exílio

PREFÁCIO

Janio de Freitas

"A opção política é antes de tudo uma opção moral".

Este conceito é formulado por José Maria Rabêlo com a mais plena autoridade para fazê-lo. Resume em dez palavras comuns toda a sua vida incomum. Primeiro, sozinho; depois, com a companhia solidária e brava de um amor chamado Thereza.

Passado mais de meio século do golpe de 1964, ainda não se sabe quantos foram levados a deixar o Brasil para sobreviver, fosse no sentido literal ou no de alternativa para o dia a dia que a violência expelida dos quartéis obstruía. Como um dos caçados prioritários e como jornalista, Zé Maria estava nos dois casos. Para se ver outra vez como caçado prioritário, na experiência de testemunhar no exílio mais dois golpes de militares cucarachos.

Mas aquele conceito de Zé Maria contém ainda outra síntese, agora em sentido inverso. Resume e aponta a carência fundamental da "elite" econômica e social brasileira em sua deliberada deformação da vida política no Brasil. Sua opção é pela imoralidade: o seu enriquecimento constante como único objetivo e a corrupção, a vilania e a exploração humana como método.

Para isso, é preciso ter a seu serviço o poder político, que traz consigo o controle do poder administrativo e os poderes acessórios. Nenhum atrevimento de contrariar tal visão e prática será tolerado. Como não o foi em mais de quinhentos anos de história. Mesmo que isso tenha custado ou venha a custar o risco até de divisão territorial do País, como Zé Maria expõe neste livro ao retomar sua valiosa contribuição para a historiografia dos antecedentes e dos dias do golpe de 64.

Não por acaso, quando escrevo estamos vivendo a indignação e a vergonha de testemunhar o andamento de mais um golpe, que acentua a oportunidade da nova edição deste livro, em boa hora ampliada por Zé Maria na rememoração e na denúncia do golpismo. O silêncio dos militares, até este momento, é admirável, mas não pode compensar a baixeza de uma maioria de congressistas orientados por interesses mesquinhos, e comandados por notório réu de crimes financeiros, para executar o golpe parlamentar desejado pela "elite" econômica e social.

As curvas da vida põem em atividade intensa, mais uma vez, a opção moral de Zé Maria. Aqui está ela, reafirmada. E sem Thereza apenas em parte, porque sua coautoria está presente, bem viva. Que casal extraordinário, esse. A coragem com que os dois inventaram um exílio frutuoso, feliz à sua maneira mas sem dúvida feliz, criando e lutando, lutando e criando filhos, cultura, trabalho, política, solidariedade, amizades. Mereceria vários livros. Este é um deles: exemplar nos dois sentidos da palavra.

***Janio de Freitas**, jornalista, colunista e membro do Conselho Editorial do jornal Folha de São Paulo. Recebeu vários prêmios em sua carreira, entre eles o Prêmio Esso e o Internacional Rei de Espanha.*

RESIDÊNCIA PROVISÓRIA

(1)
São sempre incertos os rumos
ao longo da caminhada,
como incerta é a espera
pela volta tão sonhada.

Nos exílios não se mora,
o que se faz é acampar.
Aguardar aqui é o verbo
que se deve conjugar.

A sentença que cumprimos
nunca foi determinada.
Ninguém sabe a duração
de tal pena decretada.

Dela se terá ideia,
mas depois de ser cumprida.
Duração que pode ir
de um só dia a toda a vida.

(2)
Que paisagem é esta que desconheço,
que gente é esta cuja língua não entendo,
que rio é este que não sei para onde vai,
que sons sãos estes que não consigo distinguir,
que noite é esta que não termina nunca,
que bruma é esta que obscurece o dia,
que canto é este que não faz sentido,
que festa é esta sem propósito,
que sol é este que não me aquece?

(3)
Lá fora a neve encobre
as margens das estradas
e um álgido vento
açoita os vidros do edifício.
A rua está deserta,
e os homens que passam,
poucos, pela madrugada,
conversam noutra língua,

falam de longínquas mulheres,
de sonhos ininteligíveis
para meus sentidos de sonâmbulo.
O agasalho que me deram
é curto e incômodo
e me imobiliza os gestos, o pensamento,
na solidão deste meu quarto.
Tento chamar pelo telefone
a alguma parte em que me entendam:
todas as linhas estão cortadas,
todos os números estão mudos.
Olho para o mar como último ponto de salvação,
mas os navios já partiram
e apenas os bêbados, os retardatários
ainda aguardam sobre o cais
o embarque impossível.

(4)
A viagem compulsória,
sem programa nem roteiro.
Quem dirá a trajetória
para o andar do viageiro?

Travessia compulsória
neste mapa forasteiro,
como prova expiatória
pra testar o caminheiro.

Existência compulsória,
num refúgio carcereiro,
todo dia transitória,
interina o tempo inteiro.

Pois é vida migratória,
pouso errante, passageiro,
gleba que se carpe, inglória,
não dono; como meeiro.

Não dono; como meeiro:
residência provisória.

José Maria Rabêlo
Paris, novembro de 1979

(Este poema foi publicado em 2004, no livro de mesmo nome, e reescrito para a presente edição.)

ESTA EDIÇÃO. EXPLICAÇÃO

A primeira edição de *Os Caminhos do Exílio* foi lançada em 1996, há portanto 20 anos, e está inteiramente esgotada.

Preparei a presente versão procurando enriquecê-la com o relato de outros fatos importantes, dentre eles, o complô para assassinar o ex-presidente João Goulart e toda a sua comitiva, em um comício programado para o dia 21 de abril de 1964, em Belo Horizonte, e a organização de um exército paralelo de 50 mil homens, financiado pelos EUA, em apoio ao golpe, que poderia ter levado a uma luta prolongada da qual resultaria a divisão do Brasil em dois países. "Uma Coreia em dimensões continentais", segundo as palavras de um de seus idealizadores.

O projetado atentado contra Goulart, que o golpe tornou desnecessário, deve entretanto servir de alerta para a segurança de nossas principais lideranças populares, Lula e Dilma à frente, pois o fanatismo direitista, de ontem como de hoje, não tem limites.

Embora sem a pretensão de aprofundar o estudo de cada um dos temas tratados, o livro passa em revista questões fundamentais da história contemporânea brasileira. De leitura rápida, numa linguagem jornalística e com farta cobertura fotográfica, procura entregar ao leitor uma visão objetiva, de fácil assimilação, adequada aos novos tempos inaugurados pela internet. Com as obras *Diáspora* e *Residência Provisória*, também já esgotadas, compõe um painel abrangente do que foi a experiência de milhares de brasileiros que tiveram de deixar sua pátria para fugir às perseguições do regime militar, como aconteceu comigo, minha mulher Thereza e nossos sete filhos, obrigados a permanecer por quase 16 anos fora do Brasil.

Este livro contribui de igual modo para consolidar uma convicção indeclinável: tudo devemos fazer para a defesa dos valores democráticos e das regras cidadãs de convívio, que constituem as expressões mais altas de uma sociedade que se considere civilizada. É preciso estar atento à preservação de tais valores, em especial no momento em que grupos comprometidos com o passado, repetindo o que fizeram no Brasil em 1964 e no Chile de Pinochet, em 1973, cujos processos eu e minha família vivemos por dentro, pretendem impor ao País uma agenda regressiva e conservadora, na tentativa de deter o avanço da História.

Em ambas as situações, semelhante ao que estamos vendo hoje, milhares de pessoas incitadas pela grande mídia oligárquica e antinacional foram às ruas para manifestar-se contra dois governos legais, o de Goulart e o de Allende, sob o pretexto de defender a democracia e protestar contra a corrupção. E acabaram abrindo o caminho para duas ditaduras altamente repressivas e corruptas, aqui, de 21 anos, no Chile, de 17, com milhares de mortos, presos e exilados.

O livro mostra ainda outras similitudes entre aqueles dois processos e os acontecimentos de hoje no Brasil, numa advertência às forças democráticas para que impeçam um golpe institucional contra a presidente Dilma Rousseff e qualquer atentado às conquistas políticas e sociais obtidas nos últimos anos pelo povo brasileiro.

Infelizmente, não pude contar neste relançamento com a participação de Thereza, meu amor de mais de 60 anos, que há três partiu para outros universos, deixando comigo e nossos filhos uma dor que jamais se esvairá.

Como na edição anterior, o livro está dividido em três partes. A primeira, *As Lições do Exílio*, com texto meu, foi integralmente reescrita e atualizada. As duas outras, *Um Longo Hiato em Nossas Vidas*, de Thereza, e a entrevista com as jornalistas Iza Freaza e Eulália Maia, publicada no jornal *Pasquim*, são reeditadas respeitando quase por completo sua versão original.

Pela sua altíssima qualidade, o prefácio de Janio de Freitas e a apresentação de Mauro Santayana valorizaram muito o texto e me emocionaram imensamente.

Espero que a releitura dos episódios de ontem, aqui relembrados, nos ajude a compreender melhor os acontecimentos de hoje e a nos preparar para os múltiplos desafios de amanhã.

José Maria Rabêlo
Belo Horizonte, agosto/2016

PRIMEIRA PARTE

As Lições do Exílio

José Maria Rabêlo

Nós tínhamos a ilusão de que o exílio
seria por curto prazo.
Eu mesmo fiz uma declaração à imprensa,
pouco antes de tomar o avião,
dizendo que partíamos
para um breve regresso.

CAPÍTULO 1

O GOLPE MILITAR E SEUS ANTECEDENTES

A década de 1950 e os primeiros anos da de 1960 foram uma fase de grande efervescência política, como a antecipar seu desfecho com o golpe de março-abril de 1964. Em agosto de 1954, o ex-presidente Getúlio Vargas, não suportando as pressões dos setores conservadores contrários a seu governo trabalhista e nacionalista, suicidou-se com um tiro no coração, provocando uma comoção nacional.

Em 1955, os mesmos setores conservadores por pouco não produziram outra grave crise institucional, ao tentar impedir a posse de Juscelino Kubistchek como novo presidente eleito. Embora pertencente a um partido de centro-direita, PSD — Partido Social Democrático, Juscelino era visto com desconfiança, em virtude de suas propostas modernizantes, destacando-se entre elas a construção de Brasília, tendo de superar sucessivos obstáculos políticos e militares para chegar ao fim de seu mandato. A seguir, foi eleito o ex-governador de São Paulo Jânio Quadros, num processo eleitoral muito atribulado. Assumiu o governo em 31 de janeiro de 1961 e só permaneceu na presidência até 25 de agosto, quando renunciou alegando estar sob pressão de "forças terríveis", que lhe impediam governar. Ele jamais esclareceu quais eram aquelas "forças terríveis" que conspiraram contra seu governo, mas deixou transparecer que se tratava dos grupos econômicos dominantes e da grande mídia a eles ligada. O País correu o risco de uma guerra civil, pois os ministros militares se recusaram a aceitar o vice da chapa de Quadros, que era João Goulart (Jango), por ser do partido de Vargas e por suas vinculações com o movimento sindical, visto por eles como um poder paralelo. Na época, o vice podia ser eleito em outra chapa. Jânio concorreu por uma coligação tendo à frente seu partido, o PTN — Partido Trabalhista Nacional, e, Goulart pelo PTB — Partido Trabalhista Brasileiro.

Diante do veto, o governador do Rio Grande do Sul, o também trabalhista Leonel Brizola, anunciou sua disposição de resistir à manobra golpista. Brizola contava com o apoio da Brigada Militar gaúcha e de importantes nomes do Exército e da Aeronáutica, entre os quais o general João Machado Lopes, comandante do poderoso 3º Exército, com sede em Porto Alegre. A partir dali, as tropas já se preparavam para avançar pelos estados de Santa Catarina e Paraná, a fim de chegar a Brasília e garantir a posse de Goulart.

Percebendo a amplitude do movimento, os ministros militares aceitaram um acordo: acatavam a eleição de Goulart, mas com um governo parlamentarista, o que significava uma drástica redução dos poderes presidenciais. Ao mesmo tempo, pressionados, concordaram com a convocação de um plebiscito, para que a população se pronunciasse sobre a forma preferida de governo — parlamentarismo ou presidencialismo. A consulta foi realizada em janeiro de 1963, com um resultado esmagador a favor do presidencialismo: 80% dos votos.

Goulart assumiu seus plenos poderes e anunciou um programa de reformas sociais, políticas e econômicas, as chamadas Reformas de Base, que afetava frontalmente os interesses das classes conservadoras, a começar pela reforma agrária, que poderia ter mudado a arcaica estrutura fundiária do País, eliminando essa chaga social que é o latifúndio. No plano externo, adotou uma política de independência, que incluía a intensificação das relações com o governo de Cuba e o reconhecimento da China comunista, sob forte oposição dos EUA.

Essas medidas tinham o apoio dos movimentos populares, à frente as mais importantes organizações sindicais, que, por meio de greves e outras manifestações, externavam sua disposição de lutar contra qualquer iniciativa golpista e em defesa das Reformas de Base. A mobilização de cabos e sargentos, identificados politicamente com o governo, transpôs o conflito para o seio das Forças Armadas.

Com dinheiro local e estrangeiro, diversas entidades conspirativas intensificaram sua atuação, como o IBAD — Instituto Brasileiro de Ação Democrática; o IPES — Instituto de Pesquisas Econômicas e Sociais, Os Novos Inconfidentes, este último especialmente em Minas, além de movimentos de mulheres e de profissionais liberais, de setores da Igreja Católica, etc. Aquelas entidades contavam com a adesão de influentes figuras políticas, distinguindo-se entre elas o corrupto governador paulista, Ademar de Barros, conhecido pelo lema "rouba, mas faz", que teve um cofre com milhões de dólares roubado pelos guerrilheiros durante a ditadura, a fim de financiarem suas ações.

Manifestações foram convocadas por grupos conservadores para as maiores cidades, a começar por São Paulo, tendo a participação de dezenas de milhares de pessoas, com palavras de ordem como "Deus, Pátria e Família", "Abaixo o comunismo", "Morra Goulart", "Morra Brizola". A exemplo do que ocorreria em outras ocasiões, houve sucessivos panelaços promovidos pelos moradores dos bairros burgueses e de classes médias altas, para protestar contra o governo.

O clima de agitação, nas ruas e no Congresso, repercutia diretamente nos quarteis, parecendo encaminhar-se para um inevitável enfrentamento armado, com todas as suas consequências.

Na madrugada de 31 de março para 1º de abril de 1964, unidades do Exército em Juiz de Fora, sede da 4ª Região, sob o comando do general Olympio Mourão Filho e com o respaldo da Polícia Militar mineira, que dispunha de um efetivo de 20 mil homens, deram início às operações, deflagrando o processo golpista. A principal coluna deslocou-se para o Rio e outra tomou o rumo de Brasília, na época os dois mais importantes centros políticos do País. Ao mesmo tempo, uma esquadra norte-americana composta de diversos navios de guerra e aviões de combate e de centenas de tripulantes, na chamada Operação Brother Sam, estava a caminho do Porto de Santos, com a missão de dar suporte estratégico às forças rebeladas, episódio confirmado mais tarde no próprio congresso e na imprensa dos EUA. Goulart preferiu não resistir e deixou o governo, segundo ele, para evitar derramamento de sangue, exilando-se no Uruguai. Outros líderes e militantes de esquerda tiveram também de exilar-se, para fugir à repressão imposta pelos militares. Não sendo necessária a intervenção, a frota americana retornou a suas bases.

As medidas progressistas tomadas pelo governo Goulart foram anuladas pelos vencedores, que para isso estabeleceram a mais longa ditadura de nossa história, com 21 anos de atraso político, social e cultural, de corrupção e autoritarismo.

CAPÍTULO 2

A CONSPIRAÇÃO EM MINAS: DIVISÃO DO BRASIL E O ASSASSINATO DE GOULART

A conspiração e o golpe em Minas tiveram episódios até hoje desconhecidos ou pouco conhecidos, fora e dentro do Estado. Sempre houve por parte da mídia nacional e mesmo dos meios acadêmicos a tendência de privilegiar a cobertura e o estudo do que acontece no Rio e São Paulo, em detrimento do resto do País. Aqui a articulação golpista se fez, desde o início, com o envolvimento dos comandos das principais unidades do Exército e da Aeronáutica, e da Polícia Militar. O Exército tinha a sua frente, na 4ª Região Militar, em Juiz de Fora, e na ID-4 — 4ª Infantaria Divisionária, em Belo Horizonte, dois notórios conspiradores, respectivamente os generais Olympio Mourão Filho e Carlos Luís Guedes. A PM era comandada pelo coronel José Geraldo de Oliveira, que não escondia suas posições direitistas e anti-Goulart.

O governador de Minas, banqueiro José de Magalhães Pinto, integrou-se ao golpe, empenhando em sua execução todos os recursos da administração. As classes patronais, sob a liderança da FIEMG — Federação das Indústrias do Estado de Minas Gerais, da então FAREM, hoje FAEMG — Federação da Agricultura e Pecuária do Estado de Minas Gerais, e da Associação Comercial de Minas, deram seu integral apoio à conspiração, de modo especial na captação de aportes destinados ao financiamento das ações civis e militares. Para isso, foi criada a entidade semiclandestina denominada Novos Inconfidentes, que tinha seu endereço na sede do Sindicato das Indústrias de Fiação e Tecelagem de Minas Gerais, filiado à FIEMG, no até hoje imponente Edifício Acaiaca, na Avenida Afonso Penas, uma das principais de Belo Horizonte. A mídia, com a quase única exceção de nosso semanário *Binômio*, encarregou-se de mobilizar a população a favor do golpe, como também o fez parte expressiva do clero católico.

Ao mesmo tempo, atuava na antiga Secretaria de Segurança o agente da CIA, Dan Mitrione (Daniel A. Mitrione), contratado com a tarefa de preparar os policiais mineiros para a chamada luta antissubversiva, inclusive a prática de tortura. Ele teria enviado a sua agência nos EUA mais de cem mil fichas de brasileiros acusados de esquerdismo. Transferido depois para o Uruguai, foi morto pelos guerrilheiros Tupamaros por estar desenvolvendo iguais atividades ali. Antes passara pelo Chile, onde prestou assistência à polícia de Pinochet.

O terreno, portanto, era extremamente propício para a atuação dos conspiradores e dos agentes ligados ao consulado norte-americano, que tinham livre acesso aos quarteis e órgãos do governo.

Citarei dois episódios marcantes, aos quais me referi na Explicação, que, se houvessem acontecido, teriam mudado a história brasileira. O primeiro foi a decisão dos chefes golpistas de correr todos os riscos de uma ação militar prolongada, que poderia ter conduzido à divisão territorial do Brasil, com o surgimento de dois países, "uma Coreia de proporções continentais", nas palavras de um de seus estrategistas, com a perspectiva de direta intervenção de tropas americanas.

Assim, desde o primeiro momento abriram o voluntariado para a formação de um exército paralelo de 50 mil homens, visando reforçar as tropas regulares. Esse exército seria financiado e aparelhado pelos EUA, segundo entendimentos já em curso com altos funcionários diplomáticos daquele país.

Para coordenar a ajuda mencionada, os conspiradores eram representados pelo já referido comandante da ID-4, general Guedes, e o general reformado José Lopes Bragança, um dos mais radicais dirigentes dos Novos Inconfidentes. Do lado americano, pelo cônsul Herbert Okun e seu vice Lawrence Laser, do consulado de Belo Horizonte, sob a orientação pessoal do general Vernon Walters, supervisor dos trabalhos da CIA no Brasil e adido militar da embaixada em Brasília, que, com esta missão, estivera secretamente na capital mineira por algumas vezes. Os fornecimentos entrariam pelo porto de Vitória, que deveria ser posto sob o controle das forças militares sediadas em Minas.

Todas essas informações foram confirmadas mais tarde pelo general Guedes, em seu livro *Tinha que Ser* Minas (Editora Nova Fronteira, 1979), no qual acrescenta outros detalhes de suas negociações com os representantes dos EUA, que ele chama de "o grande arsenal da democracia". "O motivo imperioso que determinara o nosso encontro", diz, referindo-se a uma das reuniões com seus interlocutores, "se prendia à urgente necessidade de material — blindados, armamentos leves e pesados, munições, combustíveis, aparelhagem de comunicações, enfim, todo o complexo material que a guerra exige...".

Por seu lado, em uma assembleia com os Novos Inconfidentes, o general Olympio Mourão afirmou que a vitória seria certa. "Como em 1930, Minas vencerá novamente agora", proclamou, sob aplausos.

Naquela perspectiva separatista, de uma parte ficariam os Estados do Sul e Sudeste, e de outra, os do Norte e Nordeste, o que aliás foi sempre um velho sonho de setores das elites paulistas desde a tentativa contrarrevolucionária de 1932[1]. A capital da primeira, pelo menos no início, seria Belo Horizonte, onde o governador do Estado, Magalhães Pinto, se havia proclamado "chefe civil da revolução". Segundo entendiam os próprios conspiradores, a capital legalista seria o Rio de Janeiro, na qual o presidente João Goulart contava, antes do golpe,

[1] Em 1932, tropas do Exército em São Paulo, com o apoio da Polícia Militar paulista, iniciaram um movimento armado contra o governo Vargas, a chamada Revolução Constitucionalista, na tentativa de restabelecer o poder dos grupos cafeeiros de São Paulo afastados do poder pela Revolução de 30. O movimento foi derrotado, com alguns de seus principais dirigentes exilando-se na Europa, entre eles antigos membros da família Mesquita, proprietária do jornal *O Estado de S. Paulo*.

com a lealdade de várias unidades das três armas, inclusive o adestrado Corpo de Fuzileiros Navais, sob o comando do almirante janguista Cândido Aragão, além do comando da Vila Militar, ocupado por outro militar fiel ao governo, o general Oromar Osório.

Ao mesmo tempo, foram criadas algumas pequenas fábricas de armamentos, uma delas na oficina da Escola Christiano Ottoni, da Faculdade de Engenharia da UFMG, com capacidade para produção de granadas de alto poder destrutivo. Outra funcionou no sítio do próprio comandante da Polícia Militar, coronel José Geraldo de Oliveira, nas proximidades de Belo Horizonte, e outras mais pelo interior do Estado.

Com uma tropa projetada de 50 mil voluntários, os dispositivos do Exército e da Aeronáutica aqui existentes, e da Polícia Militar, Minas passaria a dispor de um contingente de cerca de 80 mil efetivos integrados ao movimento sedicioso. Magalhães havia nomeado como secretários sem pasta o diplomata e depois senador Afonso Arinos de Mello Franco e o deputado José Maria Alkmin, para assumirem, num possível futuro governo, as respectivas funções de ministros das Relações Exteriores e da Fazenda. Também já estava escolhido o nome do general Cordeiro de Farias, um dos mais influentes do Exército, para o na época chamado Ministério da Guerra.

"Em Minas", escreveu Guedes em seu livro, "construiríamos um baluarte, servindo-nos, mais uma vez, de seus contrafortes, fazendo de suas montanhas um poderoso escudo, a cuja sombra poderíamos resistir ou, se as condições surgissem e o exigissem, lançarmo-nos para qualquer parte...".

O segundo episódio teria consequências traumáticas, envolvendo o assassinato do presidente da República. Estava programada sua vinda a Belo Horizonte em 21 de abril, data comemorativa da Inconfidência Mineira, na companhia de outras personalidades políticas, inclusive Leonel Brizola, para a realização de um comício em favor das Reformas de Base.

Inspirado no que havia acontecido pouco antes nos EUA, em Dallas, Estado do Texas, quando perdeu a vida o ex-presidente John

Kennedy, Goulart seria fuzilado no palanque a ser armado na Praça da Estação, um dos pontos centrais da cidade, destinado à realização daquele ato político. Várias alternativas foram consideradas para sua execução, até mesmo o posicionamento dos militares em um dos andares do hotel que existe até hoje na praça, de onde atirariam contra os oradores usando lentes especiais para melhorar a pontaria. Afinal, prevaleceu a forma julgada mais segura e mais objetiva: atiradores de elite da PM, abrindo caminho em meio ao público, disparariam suas metralhadoras contra o palanque, atingindo indistintamente todos os que lá se encontrassem. Os mínimos detalhes da operação já estavam definidos, inclusive os nomes dos atiradores, que seriam comandados pelo coronel José Oswaldo Campos do Amaral, campeão mineiro de tiro, popular entre seus colegas pela definidora alcunha de Cascavel. Em carta de 18 de janeiro de 1977, o próprio coronel revelou outros aspectos da preparação do ataque, afirmando que seria praticado "para o bem e a salvação do Brasil". Em novas declarações, ele agregou: "Ninguém teria escapado com vida do palanque".

Se a ação houvesse acontecido, teria sido um dos mais dramáticos atentados políticos, pelo número e a projeção das vítimas que causaria, muito mais sangrento que o de Dallas contra o ex-presidente John Kennedy, nos EUA, que lhe serviu de inspiração.

Os dois episódios só não se concretizaram porque o golpe os tornou desnecessários, mas a sofisticação de seu planejamento mostra o nível que a conspiração alcançou. O jornal *Estado de Minas*, em várias edições, em 1977, publicou documentadas reportagens do jornalista Geraldo Elísio, com os pormenores dessa tragédia que felizmente não ocorreu e também sobre a organização do exército paralelo, essencial para uma estratégia militar de maior duração. Nossas pesquisas, efetuadas junto a diferentes fontes, confirmaram a total procedência daqueles fatos, reunindo outras informações que incorporamos ao texto, além das revelações do general Guedes em seu livro.

CAPÍTULO 3

JORNALISMO E LUTA POLÍTICA: A DEPREDAÇÃO DO *BINÔMIO*.

Eu era diretor e proprietário do semanário *Binômio*, de grande circulação, considerado pelos historiadores um dos órgãos mais representativos da moderna imprensa alternativa brasileira. Fundado em 1952 por mim e meu colega Euro Luis Arantes, que mais tarde, ao eleger-se deputado, deixaria o jornal, tinha a maior tiragem em Minas, com suas duas edições, uma em Belo Horizonte e outra em Juiz de Fora, e se preparava para o lançamento de uma terceira, de âmbito nacional. Juntamente com o humor que nunca deixou de utilizar em suas críticas, sempre se bateu contra a corrupção e pela legalidade, denunciando sem tréguas a preparação do golpe.

Em dezembro de 1961, o *Binômio* publicou uma reportagem sobre o então comandante da ID-4 — Infantaria Divisionária, general João Punaro Bley, cuja unidade era a principal do Exército em Belo Horizonte, que se integrou aos grupos golpistas tão logo chegou a Minas. A reportagem lembrava a atuação do general como interventor do Estado Novo no Espírito Santo, na década de 1940, quando ainda capitão cometeu as maiores arbitrariedades contra presos políticos, tendo até mesmo construído um campo de concentração para aprisionar seus adversários, sobretudo jornalistas, estudantes, professores e líderes sindicais. Foi apelidado de

"Capitão Óleo de Rícino", pelo singular método de obrigar suas vítimas a ingerirem doses cavalares do purgante, como forma de debilitá-las e obter confissões. O jornal o acusou de conspirador, agindo através de seu novo cargo em Minas para dar cobertura às ações contra Goulart.

Em vez de recorrer à Justiça como faria qualquer cidadão que se sentisse ofendido, preferiu ir à redação do *Binômio* para "um acerto de contas", conforme suas palavras. Chegou ao jornal por volta das 11 horas — era o dia 21 de dezembro — demonstrando grande nervosismo. Estava fardado, levando em uma das mãos o bastonete metálico denominado insígnia de comando, símbolo de sua investidura, e na outra, um exemplar do *Binômio* com a reportagem. Já em minha sala, onde o recebi de pé, sozinho, foi logo perguntando em seu estilo agressivo e provocador: "Quem escreveu esta merda contra mim?". Eu lhe respondi dizendo que se tratava de uma reportagem muito fundamentada, e que eu era responsável por tudo o que o jornal publicava. "Então, você é um filho da puta!", retrucou, tentando agredir-me com a referida insígnia de comando, a exemplo do que sempre fazia com seus desafetos, para humilhá-los, quando interventor no Espírito Santo. Como eu consegui arrebatar-lhe a insígnia, passou a agredir-me a socos e pontapés, jogando-me por cima de minha mesa de trabalho. Foi aí que reagi, defendendo-me como pude. Nesse desforço, ele recebeu alguns golpes que lhe causaram hematomas no rosto e pelo corpo, embora eu também tenha sido atingido diretamente no peito e nos braços. Quando estávamos atracados, rolando pelo chão, e ele prosseguia com seus xingamentos, os companheiros da redação entraram na sala e nos separaram. Ao ser retirado do jornal por seu ajudante de ordens que o aguardava no corredor, e ainda exibindo as marcas de nosso entrevero, não deixou dúvidas quanto ao que viria: "Isto não vai ficar assim!".

E não ficou. Três horas depois, uma tropa com mais de duzentos praças e oficiais do Exército e da Aeronáutica, além de alunos do CPOR — Centro de Preparação de Oficiais da Reserva, sob as ordens de seus respectivos comandantes, invadiu e depredou totalmente as instalações do jornal, em um prédio localizado no cruzamento das ruas Curitiba e Carijós, em ponto dos mais movimentados da cidade. Tudo foi destruído: móveis, arquivos, as antigas máquinas de escrever usadas na redação, equipamentos fotográficos, a coleção de números atrasados, até os vasos sanitários. Nada respeitaram, nem os quadros de pintura ou fotos nas paredes, inclusive um belíssimo painel sobre as riquezas de Minas, de quatro metros de extensão por um e trinta de altura, de autoria do pintor e famoso tapeceiro Augusto Degois. Não conseguiram deter-me, pois eu, por prevenção, não estava lá quando chegaram. Para evitar uma violência contra mim, no dia seguinte viajei para São Paulo, onde permaneci por uma semana, contando com a cobertura dos colegas da diretoria do Sindicato dos Jornalistas, que me deram todo o apoio, inclusive repercutindo a depredação na mídia nacional e internacional.

O *Binômio* não deixou de ser editado um só número, funcionando em outras instalações. Mesmo sem mim, os companheiros prepararam a nova edição, sob a direção dos jornalistas Guy de Almeida e Lúcio Nunes, este último já falecido, republicando a reportagem que motivou a depredação e denunciando a ação criminosa dos comandados do general.

A insígnia de comando que havia ficado comigo, eu a entreguei ao delegado policial encarregado da diligência sobre o incidente, logo depois de minha volta de São Paulo, para que a fizesse chegar a seu titular.

Em depoimento especial para a presente edição, o jornalista Guy de Almeida, que era redator chefe do Binômio na época da depredação, descreve sua reação diante dos procedimentos dos militares.

"Cinquenta e cinco anos depois", diz, "revivo ainda com emoções na memória, como se fosse ontem, aquele 21 de dezembro de 1961, em Belo Horizonte, quando as instalações do *Binômio*, cuja chefia de redação eu então exercia, foram completamente destruídas por oficiais e soldados do Exército e da Aeronáutica. Estávamos na redação, no sexto andar do edifício, quando eles chegaram, descendo de ônibus e caminhões militares, rumo a seu objetivo: a sede do jornal.

Da janela, lá de cima, o 'seu' Inácio, pai do jornalista Euro Luiz Arantes, gritava, com toda a força de seus pulmões: 'Corram que eles estão chegando' e saía às pressas daquele sexto andar, em companhia de deputados, vereadores, jornalistas, intelectuais, sindicalistas, funcionários do jornal, que ali estavam prestando solidariedade. Os que desciam as escadarias seriam presos no meio do caminho; os que subiam ficariam protegidos nos andares de cima, ocupados por outras entidades.

Mais graves do que o que ocorria então seriam os acontecimentos que foram depois parte fundamental do processo que culminaria com a concretização do golpe militar de 1º de abril de 1964, implantando-se no país uma ditadura que duraria 21 anos e seria o marco do fechamento definitivo do *Binômio* nos primeiros dias do novo regime.

Em 1951, Getúlio Vargas retornara à presidência com 48,7% dos votos. Desenvolveu-se então um processo de modernização social e econômica do país, interrompido com o seu suicídio em 24 de agosto de 1954, quando era iminente a sua deposição.

Desde então, a crise política e econômica se aprofundaria para chegar à derrubada do governo constitucional de João Goulart, que encerraria um período histórico caracterizado por tentativas de reformas para a modernização da ainda incipiente democracia brasileira", concluiu o jornalista Guy de Almeida.

Esses fatos tornaram-me um dos alvos preferenciais das represálias dos golpistas em 1964, obrigando-me a sair do País para salvar a vida. O jornal, por sua vez, foi de novo invadido e, em seguida, impedido de circular. Antes passei quatro meses clandestino em São Paulo, na expectativa de que ainda pudesse ocorrer alguma resistência ao golpe. Logo constatei que nada havia a fazer, e que o exílio era o único caminho que me restava.

Iniciava-se assim a longa experiência contada nestas páginas, vivida por mim, pela Thereza e pelos nossos sete filhos menores, o primeiro, Álvaro, com 12 anos na época, que também não está mais entre nós, e o menor, Ricardo, com quase dois, além de Pedro, Mônica, Patrícia, Hélio e Fernando.

CAPÍTULO 4

O EXÍLIO BOLIVIANO

Naquela altura eram apenas a Bolívia e o México que ainda estavam concedendo asilo político. Preferi a Bolívia por ficar mais próxima do Brasil, de onde poderia acompanhar com maior facilidade a evolução da situação brasileira, pois naquela época não havia os recursos de comunicação hoje existentes.

Foi complicado, muito complicado, chegar até a representação boliviana, que continuava a funcionar no Rio, furando o cerco policial estabelecido em suas imediações para impedir a entrada de novos asilados. Lá, permaneci por mais de um mês, esperando o salvo-conduto necessário para viajar.

Por duas vezes, nesse período, grupos identificados com o golpe em Minas tentaram invadir o edifício, para sequestrar-me, o que nos obrigou a organizar um sistema de segurança exercido pelos próprios companheiros, pois os funcionários da embaixada à noite retiravam-se para suas casas. Eles nos receberam muito bem. Tinham sido combatentes da Revolução de 1952, que marcou a erupção das massas exploradas bolivianas, aquela imensa maioria de índios e mestiços, no cenário da vida do país. E combatentes de armas na mão, para derrubar o governo oligarco-militar que, com o apoio das empresas estrangeiras que controlavam a exploração do estanho, a maior riqueza nacional, tinha se apossado do poder, impondo a seu povo um regime de opressão e miséria.

Em junho, saímos do Brasil cercados de medidas especiais de segurança, pois parecia que nos consideravam uma grande ameaça à ditadura. Viajamos eu, o presidente da União Nacional de Estudantes, José Serra, então um dos líderes da esquerda brasileira e hoje ministro do governo ilegítimo e direitista de Michel Temer; o coronel da Aeronáutica Emanuel Nicols e Carlos Olavo da Cunha Pereira, diretor do jornal *O Combate*, de Governador Valadares.

Chegando à Bolívia, fomos recebidos não tão bem como havíamos sido na embaixada. O processo político boliviano tinha retroagido muito e entrava naqueles últimos anos do governo do presidente Paz Estenssoro numa etapa de franca deterioração. Um grupo desagradável de elementos do chamado Control Político, que era a polícia política do regime, não nos permitiu qualquer contato com os outros exilados que nos esperavam em nosso desembarque. Estranhando e sofrendo os efeitos da altitude — 4.200 metros, no Aeroporto El Alto, de La Paz — fomos levados diretamente à sede do Control Político para identificação, lá ficando isolados até as onze horas da noite. Pelo que soubemos mais tarde, aqueles elementos tinham sido pressionados pela embaixada brasileira, no sentido de nos segregar politicamente. Tudo estava pronto para conduzir-nos à distante região de Sucre, juntamente com os outros exilados que já estavam lá, onde seríamos mantidos quase sem nenhum contato com o Brasil. Essa ameaça só não se efetivou porque houve a intervenção de figuras do governo, que intercederam em nosso favor.

Tivemos, no entanto, uma acolhida muito afetuosa por parte da população. Imaginem que no dia da festa nacional da Bolívia, seis de agosto, participamos do desfile comemorativo da data. Desfilaram o Exército, a Aviação, a Marinha (apesar de não ter mar, existe uma armada boliviana, que é lacustre e fluvial), as representações civis, os colégios e... os exilados brasileiros. Há fotografias do público nos aplaudindo na rua. "Exiliados brasileños saludan al pueblo boliviano", dizíamos na faixa portada pelo grupo. Fomos dos mais aplaudidos durante o desfile.

Na Bolívia, estivemos cerca de seis meses. Eu, Carlos Olavo e o ex-deputado Neiva Moreira, que chegou pouco depois e que mais tarde, já exilado no Uruguai, iria fundar a revista *Cadernos do Terceiro Mundo*, trabalhávamos no departamento de comunicação da Comibol — Corporación Minera Boliviana, empresa estatal que administra a exploração do estanho, criada pelo governo revolucionário após sua nacionalização. Fomos convidados também para organizar um jornal diário, denominado *Clarín*, que teve um grande êxito. Nosso principal concorrente, *El Diario*, com mais de cem anos, tirava 25 mil exemplares. Só em La Paz, em dois meses de circulação, estávamos com 15 mil. Era mantido pela ala mais progressista do MNR — Movimiento Nacionalista Revolucionário, o principal partido da revolução popular de 1952, apoiando o governo, mas numa posição crítica.

Isto foi até quatro de novembro, pois também lá nos apanhou um golpe militar, comandado pelo então vice-presidente da República e comandante da Força Aérea, general René Barrientos, de notórias ligações com a ditadura brasileira. Pela segunda vez se colocava para nós, em apenas um ano, a alternativa do exílio: como sair do país, para onde ir, quais as possibilidades de recomeçar a vida em outra parte do mundo. O golpe foi muito duro; houve três dias de combates, inclusive com o bombardeio de vários bairros. O palácio presidencial foi parcialmente destruído. Thereza estava em La Paz para preparar comigo a nossa mudança e testemunhou todos aqueles momentos dramáticos. Ela voltou em seguida para o Brasil, adiando uma vez mais a hora de nosso reencontro e da reorganização da família.

Os golpes e revoluções na Bolívia costumavam ser muito violentos. Havia morrido uma grande quantidade de gente, mas mesmo assim algumas pessoas pareciam não se impressionar. Houve até alguém que me disse, como se estivesse dando uma explicação: "Agora só morreram 1.500; mas em 1952, foram 20 mil".

CAPÍTULO 5

O EXÍLIO CHILENO

Apesar de algumas dificuldades burocráticas, consegui a documentação para deixar a Bolívia. Em janeiro de 1965, viajando de trem, nas precaríssimas condições da ferrovia que fazia a ligação do país com o Chile, atravessei toda a imensa extensão do deserto de Atacama, o maior da América Latina, chegando a Antofagasta, no norte chileno, dois dias e meio depois. Em seguida, continuei a viagem, de ônibus, para Santiago.

A experiência chilena foi muito fecunda sob diferentes aspectos. Permitiu-nos aprofundar o conhecimento da América Latina e de suas diferentes realidades. O Chile, pela sua tradição democrática, constituiu desde a independência o "asilo contra a opressão", como diz sua canção nacional, para onde se dirigiam os refugiados e perseguidos de todo o continente. Não foi à toa que os nossos Inconfidentes denominaram de *Cartas Chilenas* as folhas clandestinas que editaram contra a dominação colonial portuguesa.

Lá se localizam também dezenas de instituições internacionais de ensino, de pesquisa, de elaboração teórica, que transformaram Santiago em um centro de convergência da inteligência latino-americana, tais como a CEPAL — Comissão Econômica para a América Latina, órgão das Nações Unidas, além de uma dezena de outras igualmente importantes para o estudo e o conhecimento de nossos países. Por isso, era o palco privilegiado de onde a gente podia acompanhar, com uma visão muito direta, os acontecimentos que ocorriam do México à Patagônia. Para nós brasileiros, foi a sensação da descoberta de um novo mundo, de poder conviver e trocar experiências com companheiros de regiões tão distintas, todo o crisol de uma liderança política e intelectual que a luta levara ao exílio. Ou de participar de cursos, debates, congressos, com a participação dos maiores especialistas nos problemas continentais e mundiais.

No Chile, pegou-nos a grande discussão que envolveu a esquerda latino-americana a partir da revolução cubana: a ideia de um processo revolucionário que incendiasse um por um os nossos países e levasse ao socialismo. Vimos de perto todos os que foram nossos pecados da época: a subavaliação da força do adversário, uma concepção abstrata dos níveis em que a luta se desenvolveria, a pressa, o sectarismo, as disputas internas. Fomos vendo cair, uns após outros, os companheiros peruanos, guatemaltecos, colombianos, bolivianos, brasileiros e argentinos — Luis de la Puente Uceda, Guillermo Lobatón, Turcios Lima, Camilo Torres, os irmãos Peredo, Marighela, Lamarca, Guevara, tantos heróis que morreram combatendo, num combate, que apesar da derrota, não foi em vão, porque eles nos legaram marcantes exemplos de coragem e fidelidade a suas ideias.

Nós, que ao começo tínhamos tido as maiores ilusões, fomos compreendendo aos poucos que o processo seria muito mais longo e muito mais complexo do que havíamos imaginado. Era preciso repensar os esquemas, rever as táticas e estratégias, pois não tínhamos como mudar as realidades que estavam contra nós. Muitos souberam aprender as lições daqueles anos trágicos para a esquerda latino-americana e têm hoje uma visão muito mais clara da evolução dos acontecimentos políticos.

Mas voltemos ao feijão que era preciso ganhar. Durante os meus sete primeiros meses no Chile, andei à procura de emprego, fazendo pequenos trabalhos, traduções, materiais de propaganda, assessoria editorial. Até que fui parar em DESAL — Centro para el Desarollo Económico y Social de América Latina, na qual já estavam os ex-ministros brasileiros Paulo de Tarso Santos e Almino Affonso, entre outros. Fui encarregado de organizar o serviço de divulgação, onde acabei editando um punhado de livros, minha primeira experiência no que posteriormente seria minha nova profissão.

Em fins de 1965, um ano e meio depois de haver me separado da família, Thereza e os sete meninos chegavam a Santiago.

Com a vitória de Allende em 1970, de cuja campanha participei, fiquei desempregado. É que DESAL se mudou para a Colômbia, e os que nela trabalhávamos fomos despedidos. Vejam como é a vida: quem já havia perdido tudo no Brasil e na Bolívia com o triunfo da direita, ficava agora desempregado com a vitória da esquerda...

Mas não importa. Lá fora o povo estava comemorando o resultado, e nós, eu, Thereza e os meninos, fomos comemorar também, numa festa que entrou pela noite adentro.

CAPÍTULO 6

A VITÓRIA DE ALLENDE

Acompanhei desde seus inícios o processo que resultaria no governo da Unidade Popular, a frente de partidos de esquerda, entre eles o Socialista e o Comunista, que constituiu a base da eleição e do governo de Salvador Allende. Antes, houve os seis anos da administração de Eduardo Frei, do Partido Democrata Cristão, marcados pelos avanços e retrocessos decorrentes das contradições que afetam até hoje a composição social daquela agremiação.

A gente aperta a memória e vai se lembrando. O desempenho das forças que propunham uma revisão do quadro político, social e econômico, a própria Democracia Cristã e a esquerda, tinha praticamente eliminado a velha direita oligárquica que controlara a política chilena, com pequenos hiatos, desde os anos fundadores da nação. Pensávamos que essa direita jamais levantaria a cabeça... A derrota havia sido tão grande que seus dois partidos representativos, o Liberal e o Conservador, resolveram juntar o que restou de suas hostes para formar uma nova sigla, o Partido Nacional. Numa Câmara de Deputados de 150 membros, não fizeram mais que vinte. Para os observadores, a partir dali, a alternativa chilena só poderia ser ou a DC, de centro-esquerda, reformista, ou a esquerda, com sua proposta socialista. Mas foi o que se viu depois: o golpe militar levou a direita de volta ao poder, onde iria ficar por 17 anos.

Cada episódio como este é um ensinamento que não temos o direito de desprezar, porque pode reproduzir-se em outros momentos da História.

Mas continuemos a apertar a memória.

A DC vencera e a esquerda, que tinha tido muitas expectativas naquelas eleições, ficou abalada com o resultado, embora sua votação tenha sido expressiva. O período que se seguiu coincidiu com o fortalecimento das teses mais radicais. Foram anos de grande desorientação política, mas também de tomada de consciência por parte das massas chilenas, a começar pelos trabalhadores rurais. Para cumprir suas promessas e atender a seus setores mais radicalizados, a DC era obrigada a fazer concessões. Frei, porém, estava preso a injunções que, dentro e fora de seu partido, imobilizavam o governo. Porque a DC tinha de tudo, desde aqueles setores mais à esquerda, que muitas vezes marchavam com os comunistas e socialistas, até notórios representantes do grande capital.

Os desgastes que o partido foi sofrendo, incapaz de pôr em prática as medidas progressistas que demagogicamente anunciara na campanha eleitoral, e por outro lado o descrédito da velha oligarquia, foram fazendo com que a esquerda se apresentasse a grande parte da população como a única alternativa viável para o país. Mesmo assim, em 1970, a vitória do socialista Salvador Allende foi por pouco mais de um por cento dos votos, com três candidatos concorrendo, o próprio Allende, o demo-cristão Radomiro Tomic e o conservador Jorge Alessandri, detalhe que mostra o acirramento da disputa política.

A campanha tinha sido impressionante. Lembro-me bem do comício final: um milhão de manifestantes na rua. Gente do povo, as mulheres das *poblaciones* (favelas) com a família inteira, meninos, velhos, pessoas estropiadas pela miséria e o sofrimento, e que ali estavam, cantando e cheios de esperança, horas e horas, sem descanso, para levar seu apoio ao candidato da esquerda. O centro da cidade tinha aquele aspecto de feira livre, tão comum às manifestações populares. Pipoqueiros, carrinhos vendendo sorvete, sanduíches e empanadas, camelôs, vendedores de loteria, espalhados por entre a multidão.

A concentração se estendia por mais de dois quilômetros, desde a Praça Itália até a Estação Central, ocupando toda a Avenida Bernardo O'Higgins, que é a mais famosa de Santiago, e espraiando-se pelas ruas transversais. Em 13 palanques — o central, de costas para a

Praça Itália, e os outros instalados ao longo da avenida — grupos artísticos e folclóricos se revezavam desde as três horas da tarde. E o comício só iria começar às oito da noite.

Eu e Thereza nos movíamos entre toda aquela gente, preocupados em não perder nenhum detalhe importante. Ao dobrar uma das ruas centrais (a *Calle* Estado), topamos com a caravana dos artistas que, além de outras representando as diversas categorias profissionais, vinha para tomar seus lugares. Encabeçavam a coluna de umas cinco mil pessoas os palhaços de circo, fazendo suas mímicas e piruetas; depois as meninas do balé do Teatro Municipal, elas também com seus trajes característicos, dançando; em seguida os atletas de diversas modalidades, recebendo entusiásticas saudações do público; os músicos, os escritores, os pintores, os mágicos, os equilibristas, pequenas bandas de bairros distantes, todos com seus instrumentos e roupas tradicionais. E depois, povo, povo, povo, como se nunca mais fosse acabar.

Tivemos então a vitória, apertada, ganha palmo a palmo. A comemoração do resultado só pode ser realizada às duas horas da madrugada, pois o governo democrata-cristão se recusava a permitir o ato, por dúvidas que alegava existirem quanto aos números finais da eleição. Mas, na verdade, era uma tentativa de prejudicar a manifestação popular. A mesma multidão, chegada não se sabe como dos bairros e *poblaciones* mais afastados, ali estava outra vez, com seus cantos e suas esperanças, apesar de os concessionários do transporte coletivo terem retirado das ruas grande parte da frota para sabotar a festa. "Él que no salta es momio[2], él que no salta es momio", e centenas de milhares de pessoas se punham a saltar, num oceano de cabeças que se erguiam e baixavam, ritmicamente, durante vários minutos. Depois, interrompiam, cansadas, para recomeçar em seguida: "Él que nos salta es momio, él que no salta es momio".

Veio afinal a posse, tão atribulada quanto as eleições; o governo, as primeiras medidas populares. Aí, foram os *momios* que começaram a saltar.

---

[2] Momio: adaptação da palavra momia, que em espanhol significa múmia, que era como a esquerda denominava o político de direita

CAPÍTULO 7

O GOVERNO POPULAR

Foram mil dias que abalaram o Chile mais que todos os terremotos juntos que já sofreu. Allende prometeu e cumpria: desapropriação das companhias estrangeiras que majoritariamente exploravam o cobre, a grande riqueza do país; nacionalização dos bancos; nacionalização da exploração do carvão e do ferro; estatização das grandes empresas de transporte, de distribuição etc. Aprofundava a reforma agrária, procurando formas de coletivização da terra através de cooperativas de trabalhadores, ao contrário do que preconizava a Democracia Cristã, que era a criação de pequenos capitalistas no campo. Abriu a discussão sobre a reforma do ensino, altamente elitista, alheio às necessidades básicas da população, graças ao projeto inovador da ENU — Escuela Nacional Unificada. No plano internacional, engajou-se numa política de total independência, reconhecendo o Vietnã, Cuba, Coreia do Norte, China, RDA (a então Alemanha comunista), desafiando abertamente as imposições de Washington.

Em pouco tempo, Allende se transformou num dos principais líderes do Terceiro Mundo, e sua voz era ouvida nos cinco continentes.

E foi nessa condição que falou nas Nações Unidas, para denunciar a pilhagem das multinacionais e as relações desiguais que os países ricos mantêm com os menos desenvolvidos. Seu discurso, lembro-me que o acompanhei pelo rádio, foi uma peça impactante. Ao final, toda a Assembleia Geral o aplaudiu de pé demoradamente. Nunca até então um presidente latino-americano havia recebido, na ONU, tamanha consagração.

As medidas de Allende, como não podia deixar de ser, dividiram o país: de um lado, o povo, os trabalhadores e suas entidades representativas, professores, funcionários públicos, intelectuais, artistas, estudantes, que apoiavam o presidente; do outro, as companhias multinacionais, os latifundiários, os rentistas, os profissionais liberais representantes de grandes interesses, os donos de empresas de transporte, os açambarcadores de produtos essenciais, os banqueiros, a imprensa conservadora e extensos setores das classes médias influenciadas pela propaganda golpista e inseguras com a ascensão dos mais pobres.

Pronto se constatou que havia uma outra legalidade que não era a que estava nas leis: era a legalidade imposta pelas decisões arbitrárias do Congresso e sacramentadas por um Judiciário francamente parcial. Para se ver como era esse jogo: com a única exceção da lei de nacionalização do cobre, que era também um antigo compromisso da Democracia Cristã, nenhum projeto de Allende, um sequer, foi aprovado pelo Legislativo durante sua gestão. À guerrilha legal, que procurava paralisar o governo, se juntava a guerrilha do poder econômico, que procurava paralisar o país. Como na greve dos caminhoneiros, que não terminava nunca, pois mesmo com suas reivindicações atendidas, eles continuavam parados, com novas e sucessivas demandas, e recebendo normalmente como se estivessem trabalhando, graças a verbas proporcionadas pelos serviços secretos norte-americanos. E em alguns casos recebendo até mais, pois o objetivo era mantê-los paralisados, para sabotar o governo.

Nessa conspiração, o comércio aliava-se aos caminhoneiros, cerrando suas portas ou vendendo seus produtos no câmbio negro, afim de provocar a revolta da população. Acrescente-se a isso o envenenamento informativo pelos meios de comunicação subordinados aos grandes grupos financeiros ou mantidos diretamente com o dinheiro da CIA, como se comprovou depois no Congresso, em Washington, e graças aos papeis secretos liberados pelo Pentágono. Houve duas tentativas anteriores de golpe, debeladas pelas forças militares ainda fieis ao governo.

Uma esquadra americana, pouco antes do golpe, estava nas alturas do porto de Valparaíso sob pretexto de realizar operações conjuntas com a marinha chilena, em mais uma coincidência com o que ocorrera no Brasil.

Aquelas duas vertentes em que o Chile se dividiu não se entendiam e se enfrentavam a cada instante, levando a luta política a extremos de intolerância e de irracionalidade. Altos funcionários do governo e artistas conhecidos por suas posições de esquerda já não podiam residir nos bairros mais ricos, pelos atentados e agressões a que estavam expostos. Eu mesmo poderia ter sido morto se a bomba que um dia lançaram pela janela de uma de nossas livrarias tivesse explodido. Saí ileso, junto com os funcionários, porque o artefato falhou. "Se não fosse por isso", declarou o chefe dos carabineiros que foram fazer o registro da ocorrência, "ninguém ali teria se salvado".

A esses enfrentamentos ninguém estava alheio. Meus filhos pequenos iam a uma escola muito politizada, onde estudavam também os netos de Allende, escola essa que depois foi fechada pela Junta Militar. Nela funcionava um jardim da infância. Um dia, os menininhos saíram para tomar sol e dar umas voltas pelo quarteirão. Eram uns tampinhas de cinco, seis e sete anos. No caminho, cruzaram com uma manifestação de direita, que ia gritando seus slogans pela rua. A reação foi imediata: "fascistas", "momios", "huevones[3]", etc. As professoras mal tiveram tempo de desviá-los para outra rua, temerosas de uma violência por parte dos manifestantes.

Era isso: dois países em guerra.

Nós estávamos inteiramente metidos nessa guerra. Com a indenização que recebi de Desal (e aí volto novamente ao feijão), mais o dinheiro de um sócio chileno, montei uma empresa para a venda e distribuição de livros. Por ser o Chile o maior centro de pesquisas e estudos em ciências sociais na América Latina, entendi que deveria ser bom campo para uma livraria com aquela especialização. Fundamos La Librería de las Ciencias Sociales, que, em dois anos, eram seis, a matriz e cinco filiais em funcionamento, e três outras já planejadas. Foram um sucesso. Eram livrarias plenamente identificadas com o processo que o país vivia, e aí estava nossa participação na guerra, com todas as suas consequências.

[3] Huevones. Plural de palavrão ofensivo muito comum no Chile.

CAPÍTULO 8

A VOLTA ÀS CAVERNAS

Despertamos no dia 11 de setembro com duas notícias contraditórias pelo rádio: uma emissora clandestina, que mal se ouvia ao começo, anunciava um levantamento na cidade portuária de Valparaíso, que já estaria ocupada por tropas da Marinha, com a adesão de forças militares por todo o país; a outra, na palavra do próprio Allende, afirmava que os rebeldes estavam sendo dominados e que o governo tinha o controle da situação. À medida que passava o tempo, outras emissoras em cadeia com os golpistas foram aparecendo. O tom de Allende não era mais de total segurança. "Confiava" na lealdade e no espírito legalista dos militares chilenos, inclusive do general Alberto Pinochet, por ele nomeado ministro da Defesa. Lá pelas dez, as rádios rebeldes já divulgavam o ultimato para que o presidente se rendesse. Às onze, só restava uma emissora sintonizada com o governo, a Rádio Magallanes, do Partido Comunista, que transmitia de suas instalações de emergência, pois a torre central tinha sido bombardeada. As demais ou já haviam se integrado à rede golpista ou silenciadas pelas bombas da Força Aérea. Foi mais ou menos a essa hora que Allende pronunciou seu último discurso, dizendo que não sairia vivo de La Moneda, o palácio presidencial, e que seus inimigos enfrentassem, perante a História, a responsabilidade por aquele ato de usurpação. Todas as demais emissoras estavam transmitindo a partir do Ministério da Defesa, onde se instalara o comando do golpe[4].

Começava assim a longa película de horrores que o Chile iria presenciar: o bombardeio de La Moneda, o assassinato de Allende, que resistiu até a morte à entrega do poder; a destruição de *poblaciones* inteiras, os enfrentamentos desiguais entre civis desarmados e soldados com suas metralhadoras, as prisões, os fuzilamentos sumários, as torturas. O balanço ao fim da ditadura seria trágico: mais de três mil mortos ou desaparecidos, além de 500 mil presos, torturados ou exilados. Embora a notícia da morte de Allende só fosse oficialmente divulgada no dia seguinte, tive conhecimento dela pouco tempo depois do bombardeio do palácio. A jornalista brasileira Dorrit Harazin, que estava em Santiago para cobrir a crise, me telefonou por volta das três horas da tarde e me passou todos os detalhes do sucedido.

A partir daquela mesma hora, os militares decretaram o "toque de queda" (toque de recolher) e ninguém mais podia sair às ruas.

Fomos dormir, ou tentar dormir, sob o impacto daqueles acontecimentos assustadores. Às sete horas do dia seguinte, amigos me telefonaram para dar a notícia: meu nome constava de uma lista (o chamado *Bando Militar nº 10*), que as rádios transmitiam repetidamente, com a relação de 91 pessoas que deveriam se apresentar ao Ministério de Defesa, até as quatro horas da tarde, "sob pena das consequências previsíveis", nas palavras pouco sutis do comunicado. Nessa lista figuravam Luis Corvalán, secretário-geral do Partido

[3] Últimas palavras de Allende, antes de ser morto resistindo no palácio presidencial: "Tenho a certeza de que meu sacrifício não será em vão, de que pelo menos será uma lição moral que castigará a felonia, a covardia e a traição... Viva o Chile, viva o povo, vivam os trabalhadores."

Comunista; Carlos Altamirano, secretário-geral do Partido Socialista; Miguel Henríquez, secretário-geral do MIR — Movimiento de Ezquierda Revolucionaria; Clodomiro Almeyda, ex-ministro da Defesa e do Exterior, e toda a liderança de esquerda. Eu e o sociólogo Theotônio dos Santos éramos os dois brasileiros incluídos na lista.

Que fazer? Oito anos morando na mesma casa, meu nome no catálogo telefônico, meu endereço conhecidíssimo, em um momento em que havia denúncias por toda parte, sobretudo num bairro conservador como o nosso. Os vizinhos foram até respeitosos conosco, talvez pelas crianças, amigas e colegas de seus filhos. Mas eram pessoas de direita, fanáticas, que alimentavam um ódio mortal ao governo e a seus apoiadores, principalmente se fossem estrangeiros. Lembro-me que um deles comemorou com champagne a notícia da morte de Allende e gritando pela janela palavras ofensivas a ele. Em outros bairros, em especial nos de classes altas, houve buzinaços e queimas de fogos, que se prolongaram por todo o dia, entrando pela noite. Porque, como disse, estávamos em guerra, uma guerra em que se habitava lado a lado com o inimigo.

Era então um dilema atroz aquele: sair e ser fuzilado na rua, por causa do toque de recolher, ou não sair e possivelmente ser fuzilado em casa por uma patrulha que viesse procurar-me. Por uma casualidade muito feliz, o gerente de uma de nossas livrarias, Jorge Gallardo e sua esposa tinham ido almoçar conosco. Eles se lembraram de um amigo, ilustre figura da vida cultural chilena, o professor e sociólogo Eduardo Hamuy, que fora sempre muito sensível à situação dos exilados brasileiros, tendo inclusive contratado alguns deles para trabalharem em seu instituto de pesquisas. Contatado, ele mostrou-se receptivo, concordando em receber-me em sua residência, bastante longe de nosso bairro.

Havia porém o problema de como sair de casa. Dois dias depois, que passamos sob terrível tensão, as autoridades levantaram a proibição por seis horas, das 12 às 18, para que as pessoas pudessem se reabastecer. Ao meio-dia e quinze, como se também fôssemos fazer nossas compras, saímos eu, a Thereza e os três meninos menores. A dois quarteirões tomei um carro que me aguardava, dirigido pela companheira de Gallardo, que, juntamente com ele, me conduziu até o endereço de Hamuy.

Na noite daquele mesmo dia, uma patrulha do Exército foi a minha procura. Thereza lhes informou que eu havia saído, ao que parecia, para me apresentar.

Aqueles amigos chilenos, com sua coragem e solidariedade, sem dúvida salvaram-me a vida, pois os militares eram implacáveis com os procurados pelo Ministério da Defesa, de modo particular com os de outras nacionalidades, que eles acusavam de estarem interferindo na política interna chilena "a serviço do comunismo internacional".

Outro grande amigo, Hugo Moralez, gerente-geral de nossas livrarias, foi também muito solidário conosco, levando Thereza e os meninos para ficarem com sua família, porque já não tinham nenhuma segurança em nossa casa.

Carlos Donoso, meu ex-companheiro de trabalho, prestou-me todo seu apoio político.

Depois de uma semana escondido, constatei que não havia a mínima condição de continuar no Chile. Pela terceira vez, em dez anos, colocava-se para mim e a família a perspectiva do exílio, que àquela hora nem podíamos imaginar onde seria.

Termino este capítulo transcrevendo, em sua homenagem, o belíssimo poema do compositor e intérprete Victor Jara, uma das vozes mais fortes contra o golpe, assassinado barbaramente durante uma sessão de tortura, tendo as mãos cortadas pelos militares que o prenderam: "Levántate / y mira la montaña / de donde viene / el viento, el sol y el agua. / Tu que manejas el curso de los ríos, / tu que sembraste el vuelo de tu alma, / levántate / y mírate las manos, / para creer estrécharla a tu hermano; / juntos iremos / unidos en la sangre, / hoy es el tiempo que puede ser mañana.".

CAPÍTULO 9

O PEQUENO INFERNO DA EMBAIXADA DO PANAMÁ

Graças à amizade com funcionários da embaixada do Panamá, fui admitido como asilado na representação daquele país. Depois de passar por dois ou três controles policiais, numa cidade transformada em praça de guerra, consegui chegar até lá. O carro em que viajava era dirigido por um filho de Hamuy, embora este tenha feito questão de nos acompanhar, em mais um gesto de extrema solidariedade. Ao despedir-se de mim, abraçou-me, emocionado: "Vai em frente, amigo. Seja feliz".

Ao receber-me, o embaixador esclareceu, enfático: "Tenho instruções de meu governo para aceitar até 15 refugiados. Com o senhor já são oito.". Para a imensa surpresa e desaponto de nosso anfitrião, na noite seguinte éramos 40; dois dias depois, cerca de 150 e mais de 300 no final da semana. A embaixada tinha sido tomada de assalto, e o embaixador já nem podia despachar lá dentro. O espaço do apartamento no andar térreo do prédio era de uns 150 metros quadrados, que, sem as áreas de serviço, restava apenas um metro para quase três pessoas. E continuava chegando gente, entrando pela porta dos fundos, pelas janelas, pela porta de serviço.

Entre aquelas pessoas, havia 22 crianças, 22 ou 23 companheiras grávidas, três epiléticos e um hemofílico, este último o sociólogo Herbert José de Souza, o Betinho, que mais tarde, de volta ao Brasil, se tornaria famoso pela sua campanha contra a fome. Nossa alimentação consistia em sanduíches, pizzas e empanadas, um tipo de pastelão popularíssimo no Chile, que podiam ser consumidos sem pratos e talheres e que eram trazidos por amigos e familiares. O problema maior estava no uso das duas únicas toaletes disponíveis. Frequentemente, era preciso ficar horas na fila, aguardando o momento de entrar. Certo dia, um companheiro que esperava por mais de duas horas não suportou e aliviou-se ali mesmo, à vista de todos. O quadro era de fato assustador. O embaixador foi levado a tal estado de exasperação que nos ameaçou de fechar a embaixada e nos pôr na rua, se continuasse entrando mais gente. Mas nada impedia a chegada de novos asilados.

Como não podíamos mais permanecer espremidos ali, tendo dificuldade até mesmo para respirar, o embaixador conseguiu permissão do governo chileno a fim de nos transferir para um espaço maior. A solução estava bem a seu lado: o já citado sociólogo Theotônio dos Santos havia adquirido pouco antes uma casa de cerca de 500 metros quadrados, compreendendo a área construída, a piscina e o quintal, onde poderíamos ser alojados em condições menos deprimentes, e a colocou à disposição do embaixador. Theotônio, desta forma, como sempre lembro, foi o único cidadão no mundo a asilar-se na própria casa...

A mudança para o novo endereço foi cercada de estritas normas de segurança. Oito ônibus, controlados pelos Carabineiros, enfileiraram-se na rua a nossa espera. Os companheiros iam saindo um a um, tendo de identificar-se antes de embarcar, inclusive as mulheres grávidas e as crianças. A fila parecia não ter fim, avançando lentamente, sob os olhares estupefatos dos moradores de outros andares do prédio, que sabiam que éramos muitos, mas jamais poderiam imaginar que fôssemos tantos. Essa operação durou umas duas horas ou talvez mais. Quando chegamos à nossa nova morada, quer dizer, à casa do Theotônio transformada em embaixada, uma outra surpresa: mais um asilado, burlando todo aquele fortíssimo policiamento, havia se integrado ao grupo, entrando em um dos ônibus, não se sabe como, pois cada um tinha um carabineiro ao lado do motorista.

Enquanto isso, nosso filho Pedro (Didi) caiu preso, tendo sido transferido para o Estádio Nacional, convertido em campo de concentração para os considerados inimigos do regime. Ele foi submetido a sucessivas sessões de tortura, inclusive duas ou três vezes com fuzilamento simulado, sempre com a participação de militares brasileiros, que tinham ido a Santiago para colaborar com seus colegas chilenos. Pedro era acusado de assassinar dois carabineiros, acusação que não puderam comprovar, mas só foi salvo graças a uma campanha de amigos do Brasil e de outros países, que promoveram uma rede de solidariedade a favor de sua libertação. Até a cantora Joan Baez intercedeu por ele.

Nesse período, Thereza e os meninos tiveram de ir para um dos abrigos criados pelas Nações Unidas, para dar proteção aos estrangeiros que estavam sendo vítimas de todo tipo de perseguição.

Em fins de dezembro, Pedro foi solto e no mês seguinte pudemos partir com destino à França, que havia concordado em nos receber em nosso próximo exílio.

CAPÍTULO 10

A MELANCÓLICA DESPEDIDA DO CHILE

A partida do Chile constituiu para nós um dos momentos mais tristes do exílio. O embarque no Aeroporto de Pudahuel, em Santiago, ocupado por dezenas de militares e carabineiros, relembrava uma cena de troca de prisioneiros na frente de batalha. Havia policiais por todos os lados, não se preocupando em ocultar suas armas. Somente os passageiros com bilhetes à mão e pessoas com autorização especial podiam circular pelos corredores. A Thereza e os meninos chegaram primeiro, vindos do abrigo das Nações Unidas onde estiveram nos últimos meses. Eu fui conduzido da embaixada do Panamá na companhia do próprio embaixador, em veículo diplomático antecedido por batedores do Corpo de Carabineiros, que faziam soar suas sirenes, dando aos que nos viam passar a impressão de estarem levando alguém muito importante. Em área especial do aeroporto, o embaixador francês nos aguardava, com alguns auxiliares. Outros exilados que também iam para a França já se encontravam lá. Depois de sermos minuciosamente checados, cada um a sua vez, o oficial da Aeronáutica que comandava a operação se aproximou do diplomata e disse-lhe em tom solene: "A partir de ahora, están bajo su responsabilidad". Bateu continência, deu meia-volta e retirou-se em passo marcial, seguido por seus subalternos, como se tivesse cumprido uma delicadíssima missão. E nós, eu, a família e os demais exilados fomos entrando no avião, dando nosso adeus ao Chile daquela maneira melancólica, tão fria, para quem tanto amava o país e continua a amá-lo.

Por motivo de segurança, evitando que por qualquer eventualidade tivéssemos de tocar em território brasileiro, seguimos o itinerário pela costa do Pacífico, em viagem que durou cerca de 20 horas, com escalas em Lima, Guaiaquil, Bogotá, Caracas, Lisboa e por fim Paris. Na madrugada do dia seguinte, ao chegarmos à capital francesa, apesar de bastante cansados pelo longo trajeto e os efeitos das mudanças de fuso horário, não pudemos conter nosso encantamento ao contemplar lá embaixo, em meio a suas luzes fulgurantes, as ruas, praças e bulevares parisienses. Estávamos comovidos por aquele lindo espetáculo com que a França parecia nos dar suas boas vindas, mas ao mesmo tempo afligidos por tantas dúvidas pelas incertezas do que nos aguardava dali para adiante.

O Chile ficava para trás. Agora era enfrentar os novos desafios, nesta terceira etapa de nosso exílio.

CAPÍTULO 11

A CHEGADA A PARIS

No antigo aeroporto de Orly, onde desembarcamos, fomos recebidos por funcionários diplomáticos da França e por representantes das Nações Unidas. Em procedimento simples e protocolar, tivemos nossos poucos pertences liberados pela aduana, sendo conduzidos em seguida para um abrigo do governo francês, situado na pequena e aprazível localidade de Choisy-le-Roi, ao sul de Paris.

Lá permanecemos por algumas semanas, até sermos transferidos para Clichy, do outro lado da cidade, em um prédio para receber imigrantes procedentes de países africanos de colonização francesa. Dali, após três meses, nos transferimos para o que seria nossa residência por todo o resto de nosso exílio na França: Massy, também ao sul da capital, com mais de mil anos de história e que durante a Segunda Guerra Mundial fora quase toda destruída pelos bombardeios alemães, cujos vestígios ainda hoje podem ser vistos em alguns pontos, como lembranças daqueles tempos brutais. Em Massy, já viviam outros exilados brasileiros, entre eles o casal Toshio Kawamura e Celeste Marcondes, pessoas muito ligadas a nós.

Em pouco tempo, apesar de algumas dificuldades, fomos nos adaptando à vida local, com suas normas bem mais rígidas do que as nossas. O problema maior era com a língua, obrigando-nos a frequentar cursos oferecidos pelo próprio governo francês. Fernando, o penúltimo dos meninos, conseguiu emprego durante as férias na seção de fotografia e material fotográfico de um supermercado, iniciando sua futura consagrada carreira de repórter fotográfico. Pedro, o segundo mais velho, foi contratado para trabalhar numa das unidades da Universidade de Paris. Patrícia começou um curso de teatro, também na universidade. Todos eles tiveram diferentes oportunidades de estudar e trabalhar.

A situação da Thereza é que nos preocupava. Ela chegou a Paris com um problema sério de saúde, estando com mais de 20 de pressão, o que a obrigou a imediata hospitalização. Como na França a assistência médica era assegurada a todos os cidadãos, mesmo aos estrangeiros, foi internada num dos melhores hospitais, onde lhe retiraram o baço. Passou mais de 30 dias ali, cercada de todas as atenções, com a particularidade de que, da equipe que a operou, fazia parte o médico belo-horizontino Herculano Salazar, também exilado, que a ajudou muito, principalmente na comunicação com o pessoal do hospital. A operação transcorreu bem, e em pouco tempo ela estava de volta a nossa casa em Massy.

CAPÍTULO 12

UM CENTRO IRRADIADOR DE NOSSA CULTURA NA EUROPA

Por intermédio do sociólogo paulista Fernando Perrone, nosso ex-companheiro de exílio no Chile e que havia chegado antes à França, entrei em contato com o grupo de exilados portugueses liderado pelo futuro primeiro-ministro e presidente da República Mário Soares. Para fazer o trabalho político junto à colônia de imigrantes de seu país em território francês, composta de mais de um milhão de membros, o grupo abriu uma pequena livraria no Quartier Latin. Ela entretanto ia muito mal, e os portugueses estavam pensando em vendê-la. Eu cheguei, assim, com a minha experiência de livreiro bem-sucedido no Chile, como um possível salvador do negócio. Em pouco mais de dois meses na França, eu estava trabalhando na Librairie Portugaise, que eu logo transformei em Librairie Portugaise et Brésilienne. Com um salário relativamente pequeno, mas suficiente para viver, pois como empregado tinha direito a receber vários benefícios do governo destinados a famílias numerosas. O que recebia por esta modalidade, com mulher e sete filhos, era mais do que meu salário na livraria.

Quando estourou a Revolução dos Cravos em Portugal, em 25 de abril de 1974, e os portugueses se livraram da ditadura de Salazar, uma das mais longas da História, eu fiquei quase sozinho à frente do negócio, já que Mário e seus companheiros regressaram a Portugal. Dos antigos sócios, apenas um, o até hoje meu grande amigo Dino Monteiro, continuou na França.

Na oportunidade, passei por uma situação desconcertante para mim. Com todos os meus antecedentes esquerdistas, fui processado por exercício ilegal da capitalística profissão de comerciante, que na França exige um registro especial, a chamada Carte de Commerçant, que eu nem sabia que existia. Tive um trabalho danado para livrar-me do processo, o que consegui graças à atuação do advogado francês Michel Barseghian, outro grande amigo que fizemos lá.

Desde os tempos do Chile, eu tinha o sonho de um dia abrir em Paris uma livraria com obras em espanhol e português, para difundir na Europa a cultura das 32 nações que falam os dois idiomas, que constituem o segundo ou o terceiro grupo linguístico do mundo, presente nos cinco continentes.

Com a mudança política em Portugal, os portugueses resolveram vender a livraria, e o Mário me autorizou a procurar alguém que se interessasse em comprá-la. Foi quando o ex-juiz paulista Carlos Figueiredo de Sá, também exilado na França, que sabia como ninguém das coisas da colônia, me fez uma sugestão: "Procure o Arraes, que está com muito dinheiro. Ele ganhou uma grana preta como intermediário na construção de uma rodovia na Mauritânia pela companhia Mendes Júnior. Vai voltar rico ao Brasil". Desta forma, contatei o ex-governador pernambucano Miguel Arraes, que se interessou pelo negócio. Nascia assim a Librairie-Centre des Pays de Langue Espagnole et Portugaise, sucessora da antiga Librairie Portugaise et Brésilienne, que, em pouco tempo, se tornaria a melhor livraria estrangeira de Paris, segundo opinião de seus frequentadores de tantas partes do mundo.

A nova casa, de acordo com nosso projeto, se transformou, ao lado da comercialização de livros, em um centro de divulgação dos países que pretendíamos representar. Além dos livros em língua espanhola e portuguesa, revistas, jornais, música, documentos de grupos políticos e até bandeiras, havia um auditório de 100 lugares, onde promovíamos palestras, seminários, projeções de filmes e outros eventos da mesma natureza. Por lá passaram os maiores nomes de nossa vida cultural, como o argentino Julio Cortazar, o paraguaio Augusto Roa Bastos, os peruanos Mario Vargas Llosa e Manuel Scorza, o espanhol Manuel Castells, os brasileiros Celso Furtado, Mário Pedrosa, Moniz Bandeira, Carlos Bresser Pereira, o português José Saramago, Prêmio Nobel de Literatura, o uruguaio Eduardo Galeano, efetuando o lançamento da edição francesa de seu famoso *As Veias Abertas da América Latina*, além de inúmeros intelectuais franceses e estrangeiros de diferentes instituições europeias e de outras regiões.

Fazíamos também a denúncia dos crimes das diversas ditaduras que governavam nossos países, a começar pela brasileira. A livraria se impunha cada vez mais como uma espécie de embaixada ibero-afro-latino-americana na Europa, um centro de convergência internacional.

Deixei o emprego em 31 de dezembro de 1978, depois de três anos, por divergências com o grupo de Miguel Arraes, e porque me preparava para a volta que parecia iminente. Sob a direção do grupo, ela continuaria até julho ou agosto, tendo sido vendida depois a uma empresa francesa, que a descaracterizou por completo. Hoje é uma livraria igual às outras, sem qualquer semelhança com a antiga, e até seu nome foi mudado.

Quando este assunto vem à baila, há sempre alguém indagando sobre minhas relações com Arraes e sobre os negócios dele no exílio.

Como já esclareci em outras ocasiões, foram relações difíceis, algumas vezes, penosas, especialmente depois que passei a representar em Paris os companheiros que pretendiam refundar o PTB — Partido Trabalhista Brasileiro, sob a liderança de Leonel Brizola. Não podia imaginar a reação de Arraes, que demonstrou uma grande hostilidade a Brizola. Minha saída da livraria resultou principalmente daquela circunstância, de interesse exclusivo dos dois, não justificando portanto maior destaque em um livro como este. Quanto aos demais negócios de Arraes no exterior, quem deveria falar, já que ele faleceu há algum tempo, seriam seus herdeiros, sócios e ex-sócios, porque deles nunca participei.

A despedida constituiu para mim e Thereza e também para nossos filhos, que, direta ou indiretamente estavam ligados ao projeto, um dos momentos mais amargos do exílio. Os funcionários e amigos de várias nacionalidades organizaram uma homenagem a nós. O sociólogo paulista Abelardo Blanco leu um pronunciamento, assinado por todos, exaltando nosso trabalho à frente da livraria e ressaltando sua importância para a divulgação da cultura dos países de língua portuguesa e espanhola. Estávamos de tal forma emocionados que eu pronunciei apenas algumas palavras de agradecimento.

Era o fim daquele belíssimo projeto, que, pelas razões mencionadas pouco atrás, não nos foi possível levar adiante.

CAPÍTULO 13

A MAIOR REUNIÃO POLÍTICA NO EXÍLIO

Com a probabilidade de volta ao Brasil, devido à gradativa abertura política que ocorria no País, muitos grupos que agiam no exterior, a exemplo dos ligados ao antigo MDB — Movimento Democrático Brasileiro e ao PCdoB e PCB, os remanescentes da luta armada, etc., se preparavam para aquela oportunidade. Leonel Brizola, a principal liderança do antigo PTB — Partido Trabalhista Brasileiro, decidiu reorganizar a sigla, convocando para isso um congresso na Europa. Assim, nos dias 15, 16 e 17 de junho de 1979, teve lugar em Lisboa, com o apoio do Partido Socialista português de Mário Soares, o histórico Encontro dos Trabalhistas do Brasil e do Exílio, contando com a presença de cerca de 250 delegados, considerado a maior reunião política de brasileiros realizada no exterior. A delegação dos exilados na França, organizada por mim, era integrada por 20 companheiros. Foram três dias de intensos debates, com a participação de diversos debatedores, entre eles o próprio Brizola, Darcy Ribeiro, Doutel de Andrade, Francisco Julião, Lysâneas Maciel, José Roberto da Silveira, José Neiva Moreira, Flávio Tavares, Luiz Alberto Moniz Bandeira, Eric Nepomuceno,

Artur José Poerner, Georges Michel Sobrinho, Ney Ortiz Borges, Theotônio dos Santos, Sebastião Nery, Trajano Ribeiro, Pedro Celso Ulhôa Cavalcanti, Carlos Fayal, Maria do Carmo Brito, João Vicente Goulart, Matheus Schmidt, Chizuo Osava (Mário Japa), Alfredo Sirkis, Márcio Almeida, Clóvis Brigagão, Paulo César Timm, etc. Ao final, os companheiros aprovaram a denominada Carta de Lisboa, O Caminho Brasileiro para o Socialismo, contendo as conclusões do congresso, que é até hoje um documento de viva atualidade.

Eu, Neiva Moreira e o jornalista gaúcho Hélio Fontoura, o Fontourinha, fomos encarregados de fazer a revisão final da carta. Das duas horas da manhã, quando se encerraram as sessões do congresso, até pouco antes das nove, trabalhamos reunindo as diferentes contribuições dos companheiros, no sentido de dar uma forma orgânica ao manifesto. Brizola tinha marcado uma entrevista coletiva com a imprensa portuguesa e de outros países para aquela mesma hora, que teve a participação de quase meia centena de jornalistas, com a finalidade de apresentar as resoluções da reunião.

A Carta de Lisboa, juntamente com a Carta-Testamento de Vargas, o manifesto de lançamento do PDT e de seu programa de 25 de maio de 1980[5], os decretos de institucionalização das Leis do Trabalho, de fundação da Companhia Siderúrgica Nacional e de criação da Petrobras, atos relevantes promovidos nos dois governos Vargas, constituem os documentos históricos do trabalhismo brasileiro. O original da Carta, com a assinatura de participantes do congresso, que eu guardei comigo durante anos, está em exibição na sede nacional do PDT em Brasília, ao lado de alguns daqueles outros documentos.

[5] PDT – Partido Democrático Trabalhista, foi fundado em 25 de maio de 1980, depois que uma manobra na Justiça Eleitoral, por influência do governo ditatorial, deu o nome do PTB a um grupo de aventureiros chefiados pela ex-deputada Ivete Vargas Tatsch, que o transformou no balcão de negócios que é hoje.

CAPÍTULO 14

AS SOCIEDADES DE BEM-ESTAR SOCIAL

Antes da volta, devo dizer alguma coisa do que aprendemos naqueles anos fora do Brasil, convivendo com realidades muitas vezes tão distintas da nossa, além do maior conhecimento que fizemos de outros países da América Latina. Houve companheiros, por exemplo, que se dirigiram para lugares quase inteiramente desconhecidos para nós, Finlândia, Nova Zelândia, China, Moçambique, Vietnã. Soube de um deles que foi parar na Islândia, onde não passou mais que poucas semanas, pois não resistiu ao inverno de zero grau que lá dura por seis meses do ano.

Essa experiência foi múltipla e serviu para ampliar nossa visão de mundo e de vida. Começo por lembrar a possibilidade do domínio de diferentes línguas e a realização de cursos acadêmicos importantes, que muitos, em outras circunstâncias, não teriam tido a oportunidade de seguir. Meu filho Hélio fez o curso de livreiro profissional, recebendo um título raríssimo no Brasil. Porém, o que mais nos impressionou foi descobrir pessoalmente o chamado estado de bem-estar social, vigorante em países da Europa Ocidental e da Escandinávia. A França, onde passamos quase sete anos, é modelo de uma sociedade que alcançou não somente altos níveis de desenvolvimento econômico, sendo uma das dez maiores economias do mundo, mas também com elevadíssimo grau de desenvolvimento social e humano. É claro que estas conquistas são fruto das lutas do próprio povo e dos partidos esquerdistas, sem as quais não existiriam e que são hoje exemplos para o mundo.

Vejam esses dados bem elucidadores. Quando alguém perde o emprego em uma empresa que fechou as portas ou reduziu suas atividades, tem direito durante um ano ao seguro-desemprego completo (correspondente a 100% de seu salário) e à continuidade do programa de ajuda à família. Para as pessoas com mais de 50 anos, que enfrentam maiores dificuldades em conseguir novo trabalho, o seguro-desemprego pode ser estendido por mais doze meses, embora com a redução de 50% do valor inicial. No caso de famílias numerosas, há ainda uma cesta básica distribuída mensalmente pelas prefeituras e entregue em suas casas.

Ao voltarmos, pudemos retirar 80% do que havíamos contribuído para a previdência, já que não contávamos com o tempo devido de contribuição para a aposentadoria. Era um dinheiro nosso que não fora utilizado para seu fim e que, portanto, nos cabia receber de volta.

A previdência na França, apesar dos ataques que vem sofrendo nos últimos anos por parte dos meios conservadores e de um governo socialista distanciado de suas origens, é considerada um fator de unidade nacional e não uma esmola do poder público, como entende um certo número de nossos governantes.

A educação é gratuita do pré-primário à universidade, como gratuitos são também os serviços médicos em geral. Na França, praticamente não existe medicina privada, pois seus profissionais, na absoluta maioria, são filiados ao serviço nacional de saúde, na época considerado pela ONU o melhor do mundo.

Lá, o salário mínimo está em torno de 700 dólares, dez vezes maior que o do Brasil, e praticamente ninguém ganha apenas esse valor, pois quase todos recebem, uns mais outros menos, aqueles benefícios que mencionei.

Em outras partes da Europa, a situação é ainda mais favorável, como nos países escandinavos. Mas os ricos ali pagam impostos, que podem chegar a 80% dos ganhos individuais ou empresariais, capazes de financiar uma sociedade de altíssimos índices de qualidade de vida.

Não estou dizendo que tudo é perfeito na França e em outros países europeus desenvolvidos, mesmo porque não existe perfeição em nenhuma parte do mundo, e neste momento eles estão enfrentando um agravamento dos problemas sociais, inclusive com índices de desemprego em alguns deles bem superiores aos nossos. Só quero ressaltar o quanto ainda temos de fazer para chegar a uma sociedade minimamente justa, mesmo sendo capitalista, em que a pobreza, sobretudo a extrema pobreza, deixe de existir. O que, ao contrário do que pensam nossas elites egoístas e insensíveis, não é impossível construir.

Na Europa, há outras questões que preocupam seus governantes, como a ação de grupos terroristas, que operam na Alemanha, na Itália, na Espanha, na Bélgica e na própria França, a exemplo Baader-Meinhof e outros, ontem, e o Estado Islâmico hoje.

Talvez seja esta a grande lição que recebemos no exílio: a fome e a miséria não são uma maldição bíblica, como já chegaram a nos ensinar, pois alguns povos conseguiram eliminá-las. É o caminho que eles nos apontam com suas experiências bem-sucedidas de distribuição de renda e de atenção aos mais pobres. Não há uma sociedade próspera e socialmente desenvolvida, se 30, 40, 50% de seus membros vivem abaixo da linha de pobreza. Os bens sociais não podem ser privilégio de uma pequena minoria, indiferente ao resto da população.

Fico devendo um balanço mais completo do que vimos lá, mas acho que o que mostrei neste capítulo é uma indicação dos rumos a seguir.

CAPÍTULO 15

OS TEMPOS FINAIS E O REGRESSO AO BRASIL

Com marchas e contramarchas, o processo de abertura ia se consolidando. Companheiros em situações menos complicadas puderam antecipar seu retorno. Eu, Thereza e os meninos, devido ao problema me envolvendo com setores do Exército, em função do antigo, mas sempre lembrado incidente com o general Punaro Bley, tivemos de esperar um pouco mais.

Nesse período, depois de haver deixado o emprego, continuei fazendo algum trabalho no setor livreiro. Por intermédio da livraria de um amigo francês, passei a importar e a fornecer livros em espanhol e português e depois em árabe, para escolas do governo destinadas a filhos de imigrantes. Ainda exerci essa atividade por três anos após a volta, contando com a ajuda de meus filhos Álvaro, Mônica, Patrícia e Hélio, que continuaram na França.

Em outubro de 1979, a Thereza e os dois menores, Fernando e Ricardo, retornaram ao Brasil, o que eu faria dois meses depois.

O retorno, naquelas circunstâncias, era cercado de muitas incertezas, pois nem sabíamos como seriamos recebidos depois de tantos anos fora. O Brasil havia mudado e nós também. Será que nos readaptaríamos logo? Como seríamos vistos por nossos amigos e parentes? Lembro-me de que na noite de véspera da viagem, isolado num quarto de hotel, pois já havíamos deixado nossa casa, quase não conseguia dormir. Eram muitas as indagações fervilhando na cabeça. Lá pelas tantas, ao começar o dia, resumi neste pequeno poema o que seria o drama de tantos de nós que passamos pela mesma experiência: "Mais do que a partida / o que dói é a volta / quando não se sabe ao certo / após tão longa ausência / se estamos voltando / ou outra vez partindo".

Era esse meu estado de espírito, com tantas interrogações sem resposta.

Total engano! A volta seria um acontecimento absolutamente normal, como se estivéssemos regressando de uma viagem um pouco mais longa, todavia sem grandes atropelos, sem nenhuma surpresa maior.

Nem os meninos, talvez porque mantivemos sempre em casa um ambiente muito ligado ao Brasil, encontraram maiores dificuldades em se adaptar aqui. Os menores tiveram algum problema com a língua e com certos hábitos de nosso dia a dia, mas aos poucos foram superando-os, sentindo-se à vontade e muito felizes de estar em seu país.

Cheguei ao Rio na manhã do dia 20 de dezembro, desembarcando no Aeroporto do Galeão, quando fui identificado e liberado pela Polícia Federal, depois de demorada consulta a Brasília que durou mais de duas horas. Thereza, Fernando e Ricardo, juntamente com outros parentes e amigos, me esperavam desde cedo. Os três viajariam comigo no dia seguinte para Belo Horizonte, onde fomos recebidos no Aeroporto da Pampulha por grande número de pessoas amigas, que tinham ido levar-nos seu abraço de carinho e de solidariedade política. O aeroporto estava literalmente tomado, bem como a parte da praça que fica em frente. Constituiu um momento de grande felicidade, que se estenderia pelas horas seguintes.

Da Pampulha, saímos em caravana com dezenas de carros até o Sindicato dos Jornalistas, na Avenida Álvares Cabral, sede histórica de resistência à ditadura, onde os colegas me prestaram uma homenagem inesquecível. Pelas mãos de seu presidente, esse bravo combatente que é Dídimo Paiva, recebi nova carteira do sindicato, pois a antiga eu a havia perdido em minhas incertas andanças de um canto para outro. O ato representou o marco do reinício de minha história como jornalista.

Como é bom o retorno a nossas origens. Lá fora, por mais que estejamos integrados, somos sempre estrangeiros, alguém diferente dos demais. Só mesmo em nossa pátria, em nosso chão, temos por completo a sensação de pertencimento a uma parte do mundo, à nossa parte. Foi o que senti de novo ao voltar, com toda a dimensão simbólica daquele reencontro.

O exílio havia terminado, mas a luta estava apenas recomeçando.

Belo Horizonte, agosto de 2016

SEGUNDA PARTE

Um Longo Hiato em Nossas Vidas

Thereza Rabêlo

Vamos voltar sem ódios ou traumatismos. Se alguma coisa aprendemos nestes longos anos de exílio foi aproveitar o que de bom a vida nos oferece e abandonar o resto pelas margens do caminho.

CAPÍTULO 16

MINHAS ORIGENS QUASE DE DIREITA

Vinha de um meio muito conservador, quase de direita. Meu pai, major do Exército, simpatizava com o integralismo, embora fosse mais um romântico do que alguém comprometido com suas ideias. Minha mãe era uma mulher de rígidos princípios, que procurou transmitir a seus filhos. A família fora marcada por duas tragédias. Meu irmão mais novo, Chiquinho, morreu com a explosão de uma granada que parecia desativada, que ele e amigos encontraram no campo de provas de Gericinó, ao lado da Vila Militar, próximo de nosso bairro Marechal Hermes. Meu outro irmão Chuca (Álvaro), tenente da Aeronáutica, perdeu a vida num desastre aéreo, durante um voo de treinamento.

Nascida no Rio e tendo vivido lá até a juventude, a educação que recebi foi uma educação tradicional em matéria de moral e, sobretudo, em matéria política. Filha, sobrinha e irmã de militares, meu destino seria um casamento nos círculos sociais que a família frequentava. As festas a que eu e minhas irmãs sempre fomos eram na Vila Militar, no Campo dos Afonsos ou no Clube Militar, e, para variar, na escola de Aeronáutica de Agulhas Negras. Nenhuma das três admitia a possibilidade de se casar com um civil: todo mundo que a gente conhecia era milico — os parentes, os amigos, os namorados. Eu mesma estava de namoro com um tenente da Aeronáutica, pertencente à conhecida família Gomes do Ceará.

Imaginem a surpresa que todos tiveram quando correu a notícia: "A Thereza tá namorando um comunista". Para aquela boa gente, comunistas eram indistintamente todos os que tivessem uma posição progressista, mais à esquerda. E como Zé Maria pertencia ao antigo PSB — Partido Socialista Brasileiro, era o suficiente para o escândalo geral. Alguns nem queriam acreditar. Em pouco tempo, entretanto, foram vendo que o diabo não era tão feio assim. Eu, de meu lado, que modestamente sempre tive prestígio na família, e o Zé Maria de outro, com muita conversa, acabamos convencendo o pessoal e, por fim, no casamento, quase já não havia nenhuma resistência.

Eu me lembro bem da solenidade na igreja, lá em Marechal Hermes. Até parecia cena de filme italiano: de um lado, meus convidados, quase todos fardados, inclusive meus dois padrinhos, um dos quais, general. Do outro, os amigos do Zé Maria: Mário Pedrosa (padrinho dele), João Mangabeira, Osório Borba, Hermes Lima, todos conhecidos como esquerdistas. No início, os dois grupos se olhavam muito desconfiados, distantes; mas, no final, já havia uma certa confraternização. Quando a turma saiu, uma das minhas amigas, vizinha do lado, fez esta observação que até hoje guardo comigo: "Estes comunistas amigos da Thereza são até simpáticos..."

CAPÍTULO 17

BELO HORIZONTE, O PRIMEIRO EXÍLIO

Sempre digo que meu primeiro exílio foi a mudança do Rio para Belo Horizonte. Mesmo com toda aquela educação tradicional que recebi, os primeiros tempos de vida em Minas foram um choque para mim. Belo Horizonte tinha menos de 500 mil habitantes... Uma gente que parecia desconfiada, pouco amiga de falar com os desconhecidos... Muito diferente do carioca, tão falante, tão extrovertido. Uma coisa que me irritava especialmente. Quando havia uma festa, uma reunião, era inevitável: os homens iam para um lado e as mulheres para outro. Apesar de nunca ter sido feminista, sempre me bati contra isso e, quando a reunião era lá em casa, eu colocava todo mundo junto. Não tinha essa história de assunto pra homem e assunto pra mulher.

Muitas vezes estava sozinha e ficava olhando aquelas montanhas imensas, cheias de minério, tão imponentes e, ao mesmo tempo, tão tristes. E tinha então o mesmo sentimento que mais tarde viria a ter com muita frequência no exílio: a distância de minha terra, a saudade da família, uma ideia terrível de solidão. Mas depois, pouco a pouco, fui dominando a cidade e hoje me sinto mesmo mais ligada a Belo Horizonte do que ao Rio. Em Belo Horizonte passei 14 anos de minha vida, pouco menos do que havia passado no Rio e com a particularidade de ter vivido muito intensamente, por causa da política e do *Binômio*, jornal temível de que o Zé Maria era diretor. Posso dizer que nos últimos anos não tivemos um só dia tranquilo. Era um susto atrás de outro.

O pessoal de hoje não sabe bem o que o *Binômio* representou. Além de toda sua parte humorística, reportagens de impacto, denúncias sensacionais, o enfrentamento com os grupos mais poderosos do Estado e, por outro lado, o apoio do povo, da gente mais pobre e dos descontentes com os desmandos políticos. Embora estivesse sempre em casa ou no meu emprego nos Correios e Telégrafos, pois, apesar dos oito meninos, nunca deixei de trabalhar fora, seguia com muita emoção aqueles dias, realmente inesquecíveis. Em Belo Horizonte tive cinco dos meus sete filhos vivos, mais o que morreu e que está enterrado lá. Foi lá também que pude sentir a grande solidariedade dos amigos e companheiros, quando fiquei sozinha com a meninada, esperando que o Zé Maria arranjasse um trabalho no exterior e pudesse nos levar. Como vou deixar de amar, e muito, aquela cidade?

CAPÍTULO 18

UMA PARTICIPAÇÃO DIFERENTE

Para quem visse de fora, eu não tinha maior participação naqueles acontecimentos; mas, na realidade, eu os vivia intensamente, nervosamente. Nossa casa, no Bairro da Barroca, logo depois do incidente com o general Punaro Bley, e por causa da luta política tão dura, se transformou numa verdadeira fortaleza. Nos dois ou três anos antes do golpe os conflitos em Minas eram permanentes. Todo mundo tinha que se defender. A gente recebia ameaças sempre, provocações... de modo especial a turma do *Binômio*. Quantas vezes foi gente lá em casa, altas horas da noite, para pedir explicações ao Zé Maria sobre as reportagens do jornal. Era preciso estar preparado para tudo.

Me recordo do famoso comício da Frente de Mobilização Popular em Belo Horizonte, nos primeiros dias de março de 1964. O pessoal da direita desde cedo tomou conta do auditório onde ia realizar-se o comício, no antigo prédio da Secretaria de Saúde, hoje o Minascentro, e lá ficou para tentar impedir a manifestação. Quando nossos convidados começaram a chegar, já quase não havia lugar. A polícia, ou era impotente para evitar a provocação, ou simplesmente foi lá para dar cobertura aos provocadores.

Eu estava em casa ouvindo a única rádio que transmitia do local, e, mais que transmitir, tinha ido lá para apoiar os que se opunham ao ato, tal era a parcialidade da transmissão. O ambiente estava carregadíssimo, muita gente armada indo de um lado para outro, segundo o relato sensacionalista do locutor. Dentro, um pequeno grupo que conseguira furar as barreiras formadas pelos adversários, decidiu começar o comício, mesmo sem a comitiva que tinha vindo do Rio e que não podia chegar ao recinto. Do lado de fora, tentando entrar, encontravam-se, por exemplo, os deputados Leonel Brizola, Almino Affonso, Neiva Moreira e Paulo de Tarso Santos, e Aldo Arantes, presidente da UNE — União Nacional dos Estudantes, e um punhado de pessoas que sofriam todo tipo de ameaças e até mesmo agressões, sem que a polícia movesse um dedo. Foi quando o locutor anunciou que o primeiro orador ia falar ... é o jornalista José Maria Rabêlo, diretor do *Binômio*.

Foi só o que ouvi, pois, em seguida, se produziu uma tremenda explosão e a rádio saiu do ar. Eu disse comigo: "É, desta vez fiquei viúva.". Estava muito assustada. Imaginem bem, com aquela criançada toda, o mais velho com pouco mais de 10 anos e um ainda na barriga... pois é, ia me esquecendo de dizer ... como quase sempre, eu estava esperando um menino. O tempo passava, de vez em quando aparecia um amigo perguntando se estava tudo bem, coisas assim, que para mim só serviam para aumentar o temor de que uma tragédia tinha acontecido. Só mais tarde, depois da meia-noite, foi que o Zé Maria chegou, cercado de um grupo de amigos, contando todas as peripécias daquela noite horrível.

Também no episódio da depredação do *Binômio*, a gente passou momentos críticos. Eles foram lá, quebraram tudo. E eu não sabia se haviam ou não conseguido agarrar o Zé Maria. Telefonema pra cá, telefonema pra lá, houve até gente que afirmou ter visto um grupo carregando um corpo enrolado na cortina do jornal. Para mim, era ele, não havia dúvida. Mas não era, não existia cortina alguma; tudo tinha sido destruído, até mesmo as cortinas... Bem mais tarde, amigos telefonaram pra dizer que ele estava bem e que queria me ver.

E assim foi também nos dias do golpe. A primeira coisa que eles fizeram foi fechar o *Binômio*. Eu e os meninos viajamos para o Rio, porque temíamos que alguma coisa nos pudesse acontecer em Belo Horizonte. Um dia vou ainda contar em detalhes aquela viagem: eu, Mário Damasceno, o motorista do jornal na direção, os meninos, o último dos quais, o Ricardo, com apenas seis meses, e um sobrinho de seis meses também, além de minha cunhada Rosélia. Os outros demais filhos viajaram de ônibus, já estando no Rio. Pela estrada afora a gente ia encontrando aquelas filas intermináveis de soldados, que iam marchando, marchando, com suas armas e seus veículos militares, como se fosse para acabar com a gente. Foi infernal.

Eu era a dona de casa, repito, que aparentemente vivia por fora de todos aqueles acontecimentos, que passava a maior parte do tempo cuidando dos filhos e de seu emprego, mas no fundo sentia como ninguém a intensidade daqueles momentos angustiantes. Nem sei como aguentei, confesso. Mas houve também instantes tão bons, tão felizes. Para mim são os que contam... e fazem a gente continuar de pé.

CAPÍTULO 19

BRASIL, BOLÍVIA, BRASIL

No Rio passei quase dois meses, com a criançada dividida em diferentes casas de parentes. O Zé Maria estava foragido em local que eu mesma não sabia, e fui tocando a vida como era possível. Até que conseguimos nos falar. Então, com as coisas mais ou menos serenadas, voltei a Belo Horizonte para não perder meu emprego nos Correios.

A chegada lá, de volta, foi surpreendentemente prazerosa. Esperava encontrar uma cidade hostil, pois vocês sabem o papel que teve Minas no golpe; mas não: fui recebida com o maior carinho... não sei se era pelos meninos... mas a verdade é que não sofremos nenhum constrangimento. A não ser, naturalmente, a incerteza sobre o que íamos fazer, estando tudo derrubado, o jornal fechado, considerando-se já a hipótese do exílio. Mas, enfim, era esperar para ver.

O Zé Maria acabou entrando na embaixada da Bolívia, pois as autoridades começaram a nos molestar, a nós da família e sobretudo aos amigos e companheiros, para dizermos onde ele estava. Toda aquela história do incidente com o general Punaro Bley vinha à tona e, por detrás, havia grupos que utilizavam o episódio para vingar-se das campanhas do *Binômio*. O Zé Maria viajou para a Bolívia, e fiquei à espera de poder partir também, em um dia que a gente naquele momento nem imaginava quando seria, pois tudo parecia tão difícil, a vida no exterior, a mudança com aquela família imensa, a língua diferente, o diabo. Lá fiquei... mais uma vez com meus pequenos grandes problemas: os cuidados da casa, a educação dos meninos, o emprego de postalista nos Correios.

Como o salário não dava para os gastos, fui dispondo de tudo o que a gente tinha podido juntar com grandes dificuldades... Um lote no Bairro Cidade Jardim, que agora vale uma fortuna e que fui obrigada a vender na bacia das almas... A gente guardava aquele terreno havia muitos anos. Hoje tenho o maior arrependimento. Uma casa na Pampulha, pouco antes do Iate Clube, que estava quase concluída. Os móveis e máquinas do *Binômio*, e outros pertences de menor valor... a gente foi se desfazendo de tudo, pouco a pouco. Alguns amigos e parentes ajudaram, mas todos tinham seus problemas, e fui me arrumando como podia, sabe Deus como.

Um dia o Zé Maria escreveu dizendo que tinha conseguido um trabalho na Bolívia e queria que eu fosse lá sozinha, antes de levar a família, para ajudá-lo a preparar a mudança. Um grupo de amigos comprou-me uma passagem, e lá cheguei. Era justamente a última semana de outubro. O Zé Maria, o Neiva Moreira e o jornalista mineiro Carlos Olavo da Cunha Pereira tinham fundado um jornal ligado a um grupo do MNR — Movimento Nacionalista Revolucionário, partido do então presidente Paz Estenssoro. A situação na Bolívia, naqueles dias, como quase sempre, era agitadíssima: greves, conflitos de rua, ameaças de levantes militares. No dia quatro de novembro pusemos um anúncio no jornal procurando casa para alugar. Antes que aparecesse o primeiro interessado, começaram os disparos. Era o golpe que derrubou Estenssoro e colocou no governo uma junta militar ligada ao regime brasileiro... E, com isso, lá se foram nossas esperanças de viver em La Paz.

Uma vez mais me senti numa profunda angústia. Voltar, retomar a vida em Belo Horizonte e esperar que pudéssemos partir para outro lugar, que àquela altura, nem imaginávamos qual poderia ser. Um ano depois, porém, estávamos viajando para o Chile, meu Chile querido, que cheguei a amar como se fosse meu próprio país.

Em oito de dezembro de 1965, com a criançada toda, tomei o ônibus com destino ao Rio, de onde, dois dias depois, deveria partir para Santiago. Enquanto subia a serra e via Belo Horizonte lá embaixo, mergulhada na bruma da manhã, foi como se um pedaço de mim fosse sendo arrancado pouco a pouco. Era uma etapa de nossa vida que ficava para trás. E tive então a certeza de que a separação seria longa... Foi quase uma intuição. A cidade foi ficando distante, distante, à medida que o ônibus avançava sobre a estrada por entre aquelas montanhas rochosas de Minas. E, em certo momento, era para mim apenas um ponto na memória. O instante da saída é o quadro mais nítido que guardo de Belo Horizonte daqueles dias, talvez porque tivesse sido o mais doloroso.

Ao decolar do Rio, a gente teve a convicção de que aquela não seria uma viagem comum. Quando eu olhava os meninos dentro do avião, tão pequenininhos, dois ainda de mamadeira, eu sentia um medo muito grande e a sensação da enorme responsabilidade que estava assumindo: eu os estava arrastando para longe de seu país, mudando mesmo seus destinos, num projeto de vida que eu própria desconhecia.

A chegada a Santiago, seis horas depois, foi comovente, e eu não poderei jamais esquecê-la. O Zé Maria estava lá com alguns amigos. E a alegria foi geral, embora os menores, no início, nem o reconhecessem. Como ele era muito parecido com meu sogro, o caçula Ricardo o chamou por algum tempo de "vovô". Era a primeira vez, quase dois anos depois, que a família se reencontrava, num instante de enorme ternura, mas, ao mesmo tempo, cercado de tantas dúvidas. Ali estava claro: uma nova fase, inteiramente distinta, se abria para a existência de cada um de nós.

CAPÍTULO 20

O CHILE COMO RECOMEÇO

Mais ainda do que a cena do aeroporto, linda, linda, foi a chegada à casa em que iríamos viver durante todo o nosso exílio no Chile, situada no tradicional bairro de Nuñoa. Ela era branca, cercada de jardins, com um quintal enorme, cheio de árvores, que terminava num riacho cujas águas desciam da Cordilheira dos Andes. Havia pés de pêssegos, peras, uvas, maçãs, uma infinidade de frutas que estavam ali, agora, perto da gente, no fundo da casa.

Quando entrei... ora, este momento foi memorável: junto à sala de jantar, um quarto enorme com sete camas enfileiradas, uma bem perto da outra, iguaizinhas... era o dormitório dos meninos. Assim ficamos até que pudemos alugar a outra parte da casa e nos acomodar melhor.

Não tivemos maior problema de adaptação. Como as crianças eram pequenas, não houve necessidade de grandes mudanças na escola. Em pouco tempo estavam falando razoavelmente o espanhol, língua em que os pequenos se alfabetizaram.

Foi um período muito calmo, aquele primeiro tempo de Chile. O chileno sempre recebeu os brasileiros com muito carinho, e nos sentíamos em casa. Nosso bairro estava bem aos pés da cordilheira. Para mim, não há no mundo coisa mais fantástica do que a montanha inteiramente nevada sob a luz do luar: ela vai mudando de cor, a cada instante uma nuance diferente... branca, rosa, dourada... com um brilho selvagem que a torna quase imaterial. Quantas vezes, pela noite, eu ficava na janela de meu quarto a contemplar aquele espetáculo belo e quase indescritível.

Os meninos foram crescendo, a gente cada vez mais integrada na vida chilena... O Brasil, em certa altura, nos parecia muito remoto. Nos anos mais sombrios da ditadura, a gente tinha grande dificuldade em ter contatos no Brasil. Havia uma falta quase total de notícias, as pessoas ficavam com medo até mesmo de escrever para os amigos e parentes no exílio. Tudo isso fazia com que nos agarrássemos mais e mais ao Chile, que era uma espécie de compensação pelo país que nos tiraram. E, para muitos, o Chile foi realmente o abrigo que encontraram, depois de tantas perseguições, torturas, sofrimentos sem nome. Tudo isso ajudava o processo de integração e, quando tivemos de sair de lá, depois da queda de Allende, foi como se estivéssemos deixando nossa terra pela segunda vez.

CAPÍTULO 21

UMA VIDA NORMAL, SIMPLESMENTE

A experiência do governo Allende foi a mais formidável de que participamos no Chile, e dela falaremos adiante. Mas, antes, levamos lá uma existência sem maiores sobressaltos, muito simples, provinciana. Nem de longe podíamos prever o furacão que se formava por debaixo daquela paz quase bucólica. O Zé Maria trabalhava num organismo internacional, e eu, nessa época, não tinha emprego fora. Foi o período em que mais pude me dedicar à educação dos meninos. Que direi mais dessa fase, que representou o período de nossa chegada e integração no Chile? Lembro-me de dois episódios curiosos, que nos calaram fundamente.

O segundo Natal que passamos lá coincidiu com uma fase de certa apertura financeira para a família. Poucos presentes pudemos comprar para as crianças, assim mesmo, umas coisinhas muito simples. Mas vejam como vivemos um verdadeiro conto de Natal. O Didi, que passava o tempo mexendo por todos os cantos e que foi responsável pela "destruição" de duas ou três casas em que moramos em Belo Horizonte, resolveu subir ao sótão, entrando por um orifício muito estreito que havia no teto. Ninguém podia imaginar o que ele iria encontrar lá em cima. Adivinhem! Três ou quatro enormes caixas de brinquedos usados, mas em perfeito estado de conservação, quase todos importados, riquíssimos. Havia trens elétricos, robôs, palhaços, bonecas com todos os movimentos: uma verdadeira loja de brinquedos. Até hoje me recordo do encantamento estampado na cara dos meninos, seus gritos de admiração quando o Didi descia por uma corda, peça por peça, aquele tesouro maravilhoso.

No primeiro instante, fiquei perplexa diante da situação. Não me parecia correto deixar os meninos usarem os brinquedos que não eram deles; mas, ao mesmo tempo, como pedir que eles abrissem mão daquele imenso prazer...na véspera de Natal. Foi quando chegou em casa o Zé Maria, acompanhado de Edmur Fonseca, jornalista, escritor e poeta mineiro, também exilado no Chile. Foi o Edmur, com sua enorme sensibilidade humana, que me deu o impulso que me faltava para aquela pequena "expropriação": "Olha, Thereza, dono de brinquedo é criança. Não pense mais nisso". A origem daquele achado é até hoje um completo mistério. Ninguém nunca apareceu, nos sete anos em que ainda continuamos na mesma casa, para reclamar a sua posse. Tem horas em que fico pensando que Papai Noel existe... porque para nós, pelo menos uma vez, ele existiu.

O outro episódio que gostarei de contar mostra bem as dificuldades que a gente ia encontrando para educar os meninos no exterior, sem que perdessem a noção do Brasil. Eles estavam numa escola chilena que tinha o patrocínio da Embaixada da Síria; havia outras patrocinadas pelos diferentes países com representação no Chile. Por isso, eles tiveram que aprender, primeiro, o hino nacional chileno, como era natural; e, depois, em homenagem à Síria, em árabe, o hino nacional sírio. Dois meninos brasileiros, que estudavam na mesma escola e que eram bem maiores, resolveram lhes ensinar o "hino nacional brasileiro". Um dia, o Fernando, que tinha apenas seis anos, chegou em casa cantando, ou tentando cantar, esta canção popular do Norte de Minas como se fosse nosso hino: "Óia, vamo quebrá os caroço / enquanto a polícia num vem. / Óia, vamo quebrá os caroço / enquanto a polícia num vem. / Mais se a polícia vié, meu bem, / Nóis quebra a polícia tamém".

Pela reação das pessoas, logo percebeu que havia alguma coisa errada em sua apresentação musical. Até hoje ele se recorda do trote e tem uma vergonha danada.

CAPÍTULO 22

OS MIL DIAS DE ALLENDE

Tendo chegado ao Chile em fins de 1965, pude acompanhar de perto toda a gestação do que seria a experiência da Unidade Popular, desde a campanha eleitoral, a vitória a quatro de setembro de 1970, aqueles três anos tão dramáticos e, finalmente, a derrota, com todo seu cortejo de terror e miséria. Eu, como sempre, nunca tomei parte em manifestações e atos públicos, a não ser excepcionalmente, porque estava em casa e, depois, quando abrimos as livrarias, metida todo o tempo no trabalho. Mas seguia com o maior entusiasmo o desenrolar daqueles dias eletrizantes, pois desde o início tive uma veneração pela personalidade de Salvador Allende. Para mim, ele foi uma das maiores figuras latino-americanas deste século, como líder e como homem.

Dona de casa responsável por uma família tão grande, vi por dentro o que foi a conspiração contra o governo. A gente sabia que os produtos existiam, mas não se encontrava quase nada. A direita chilena, englobando numa frente única desde os conservadores mais radicais até a maioria dos democratas-cristãos, procurava jogar o povo contra Allende, desviando tudo o que fosse possível para o câmbio negro, as exportações clandestinas, promovendo até mesmo a destruição de alimentos, produtos farmacêuticos e outros artigos essenciais. Lembro-me bem do drama que representou a doença de minha mãe, que nos tinha acompanhado ao Chile, e que lá morreu e lá está enterrada. Ela teve um derrame cerebral e perdeu o controle do sistema urinário, tendo por isso que trocar suas roupas várias vezes por dia. A clínica onde estava internada nos comunicou que não poderia continuar seu tratamento, pois não dispunha de lençóis suficientes, que haviam desaparecido do mercado. Ou nós conseguíamos os lençóis ou ela teria que voltar para casa. Vejam bem: onde obter, naquele clima de guerra econômica, de sonegação, de açambarcamento mais odioso, vinte ou trinta peças de roupa de cama? O que seria uma coisa absolutamente normal em qualquer outra situação assumia proporções de um megaproblema. Sabíamos que se podia encontrar tudo no comércio clandestino, que era manobrado como um instrumento para indispor o governo com a população e preparar o caminho para o golpe. Por isso, nós nos recusávamos a comprar qualquer coisa no mercado negro. Neste caso, entretanto, não houve meios: tivemos que recorrer a fornecedores que nos cobraram várias vezes o valor da mercadoria.

Imaginem o que isso representava para todo o país, dos pequenos e grandes problemas iguais ao nosso, e que iam envenenando o espírito das pessoas, provocando a revolta, levando a uma grande exacerbação. Porém o mais impressionante naquele episódio todo foi que o povo, os pobres, as classes mais humildes, embora fossem as maiores vítimas, não se deixaram envolver e defenderam, até a última hora, o governo que era seu. Nunca a gente humilde do Chile foi tão alegre, numa alegria juvenil, quase ingênua, mas repleta de esperança.

Não era preciso muita teoria, muita ciência, para se saber com quem ficar. De um lado estavam os aproveitadores de sempre, os grandes proprietários, as grandes fortunas, que habitavam com seu egoísmo os palacetes dos chamados *barrios altos*. Do outro, o zé-povinho, que se amontoava nas *callampas* (favelas) à beira dos córregos ou nos subúrbios mais distantes. Eu, como cristã, e que nunca fui revolucionária nem agitadora, não poderia ter outra posição, senão a de estar com a gente humilde que naqueles três anos acreditou numa vida melhor, numa vida mais digna.

O golpe de Pinochet foi uma guerra dos ricos contra os pobres. E isso nós vimos naquela noite terrível de 11 de setembro de 1973: enquanto nos bairros grã-finos se comemorava a morte de Allende com festas e bebidas raras, nas *callampas* os pobres viviam a angústia das perseguições, do medo, do fim da esperança.

Vou voltar para o Brasil daqui a pouco, mas minha alegria só será completa no dia em que os chilenos recuperarem sua liberdade. Os tempos felizes que tivemos no Chile me fazem esquecer todas as desgraças que passamos nos últimos momentos lá: a prisão do Didi, que quase foi fuzilado no Estádio Nacional, a perda de tudo o que havíamos construído com tanto sacrifício, a inclusão do Zé Maria naquela lista sinistra das pessoas procuradas pela Junta Militar, o fechamento das livrarias, o cerco e invasão de nossa casa, o novo exílio.

A prisão do Didi, então com pouco mais de 18 anos, que foi detido porque não conseguiram deter o pai, e que ficou lá, no estádio, sem nenhuma culpa — me envelheceu de muitos anos. Foi o período mais duro da minha vida, quase como uma ferida física: além do drama da prisão em si, era aquela sensação de impotência, pois, fechada no refúgio das Nações Unidas, pouco podia fazer para libertá-lo. Este suplício durou quase três meses. Às vezes, pela noite, eu acordava com as rajadas de metralhadora que se ouviam frequentemente, e tinha a impressão de que o estavam fuzilando.

O golpe no Chile foi atroz e não conseguirei jamais apagá-lo da memória. Como não conseguirei jamais apagar a lembrança da insensibilidade da embaixada brasileira em Santiago, em particular do então embaixador Antônio da Câmara Canto, que não foi capaz do menor gesto para salvar daquele inferno, já não digo os adultos, mas pelo menos as crianças, que não tinham como defender-se.

CAPÍTULO 23

FRANÇA: O NOVO EXÍLIO

Depois do golpe, ainda ficamos no Chile mais cinco meses. Não apenas porque o Didi continuava preso, mas também porque a Junta Militar se recusava a conceder o salvo-conduto para a saída do Zé Maria. Somente no dia 26 de janeiro de 1974, como emergindo de um pesadelo, pudemos partir de Santiago. Eu vinha, com as crianças, do refúgio das Nações Unidas; e o Zé Maria, da embaixada do Panamá, onde ele tinha estado todo aquele tempo. O encontro no aeroporto, tão diferente do primeiro, quando chegamos ao Chile, foi comovedor, mas muito triste. A emoção que tive, ao entrar no avião, foi a mesma que senti ao deixar Belo Horizonte oito anos antes: a certeza de que seria uma longa, muito longa separação.

Vinte horas depois, num voo por toda a costa do Pacífico que parecia não terminar nunca, eis-nos jogados em Paris, sem projetos, sem falar a língua, e eu ainda com um grave problema de saúde. A solidão que nos atingiu foi total: parecíamos tão insignificantes diante da cidade desconhecida, tudo tão diferente. Neste momento da chegada, não sei se porque os sofrimentos no Chile tinham ficado para trás, tive a impressão de sucumbir, de entregar as forças. Por mais que a gente queira ser forte, há horas em que a resistência chega a seu limite. Eu desembarquei em Paris com vinte e dois de pressão, indo direto para a cama e, depois, para o hospital, onde fui submetida a uma longa operação por motivo de enfermidade renal que me afetava desde o Chile.

Quem diria que pouco tempo depois iríamos amar tanto o país de nosso novo exílio? Apesar de todos os obstáculos que encontramos no início, temos que ser muito reconhecidos ao povo francês, que nos acolheu de maneira calorosa e solidária. Acho que nenhum país europeu recebeu com tanta comoção o drama chileno. Em Paris e em outras cidades há mais de cem ruas, praças, avenidas e parques que levam o nome de Salvador Allende. Agora era recomeçar tudo de novo, uma vez mais — o trabalho, a escola dos meninos, o estudo da língua. O Zé Maria, como ele conta em outro depoimento, depois de dois meses conseguiu trabalho como gerente numa livraria instalada por um grupo de exilados portugueses.

CAPÍTULO 24

OS PROBLEMAS DE CADA DIA

As crianças aqui tiveram maiores dificuldades com o sistema educacional francês, naquela época bem mais rígido e tradicional que os nossos na América Latina. A primeira escola que os três menores, Hélio, Fernando e Ricardo, frequentaram era excessivamente conservadora, embora dirigida por um professor comunista. No Chile, eles estavam matriculados num colégio experimental, com técnicas pedagógicas moderníssimas. O choque foi inevitável: ao fim de uma semana, ficaram castigados numa sala escura durante toda a manhã. Na hora do almoço, aproveitando um descuido da vigilância, os três fugiram por uma janela que dava para o telhado e, daí, para a rua. Imaginem o escândalo! Acho que nunca tinha havido coisa parecida em toda a história do estabelecimento. No mesmo dia fomos convocados pela diretoria. Como o Zé Maria estava viajando e eu hospitalizada, a Patrícia e a Mônica compareceram ao colégio para as devidas explicações. Mas as explicações, quem as deu foi o diretor. Muito constrangido, ele disse para as duas: "Imaginem vocês que vergonha para mim. Eu, militante comunista desde 1946, ser chamado de fascista por três refugiados chilenos, na presença de todos os alunos. Só porque os tinha colocado de pé, durante a aula, virados para a parede. Aí não me contive: mandei os três para o quarto escuro". Não é preciso dizer que os meninos nunca mais puseram os pés naquela escola, que, mesmo para a França daquela época, exagerava um pouco... As outras que frequentaram depois eram bem mais abertas e, felizmente, eles acabaram se adaptando.

Hoje temos um monte de amigos franceses, amigos nossos, dos meninos, os namorados e namoradas. Como guardamos também os amigos chilenos e brasileiros, nossa casa é uma Torre de Babel: há três línguas faladas, que muitas vezes se amontoam, misturando-se numa salada das mais exóticas.

A gente vai levar também daqui imensas saudades. Mesmo porque, os meninos já sendo crescidos, foi aqui que tivemos mais do que nunca a ideia da amizade e da união que, — graças a Deus! — imperam na família. Pois este é meu maior orgulho: apesar da dureza do exílio, soubemos manter a família bastante integrada, com relações muito abertas, muito críticas, de amizade e companheirismo.

Essa presença na Europa nos foi muito rica, pois completamos nossa visão do mundo em que vivemos. Aqui passamos já quase sete anos, a família cresceu, alguns meninos se casaram e, em outubro próximo, seremos avós pela primeira vez, com um neto parisiense. Mônica está esperando uma criança para esta data. E Didi, que acaba de se casar com uma colombiana que conheceu aqui, já está nos anunciando o nosso segundo neto. Dudu, o Álvaro, que aliás é o mais velho, e a Patrícia ainda não falaram nisso, enquanto os menores Hélio, Fernando e Ricardo têm outras preocupações.

Em Paris, tivemos a oportunidade de lançar um projeto formidável de divulgação da cultura latino-americana na Europa: a Livraria-Centro dos Países de Língua Espanhola e Portuguesa. Projeto que nos encheu de entusiasmo e exigiu de nós, em três anos, todo o amor e dedicação para que se tornasse realidade. Mesmo não tendo sido possível conclui-lo, por motivos que não desejo aqui comentar, ele nos deixou a lembrança de um riquíssimo trabalho em favor da cultura e da divulgação de nossos países na Europa.

CAPÍTULO 25

ENFIM, A VOLTA

Estamos outra vez com as malas prontas para uma nova partida. Agora não será o desafio de um mundo desconhecido, de uma língua estranha, de culturas diferentes. Mesmo depois de tanto tempo, será o reencontro com as nossas raízes, com o nosso povo, com o meio em que nascemos e nos criamos. Mas, mesmo assim, esses quase quinze anos pesam fortemente. Nós vivemos muita coisa que o Brasil não viveu; muitas coisas se passaram no Brasil sem que as tivéssemos vivido. Há, entre todos os exilados, uma expectativa muito grande neste instante da volta. Mas estamos certos de que a festa que nos aguarda vai compensar todos os sofrimentos, angústias e saudades desta separação tão longa.

Vamos regressar sem ódios ou traumatismos. Se alguma coisa aprendemos nesses longos anos de exílio foi aproveitar o que de bom a vida nos oferece e abandonar o resto pelas margens do caminho.

Paris, março de 1979.

As Fotos da Capa

A DEPREDAÇÃO DO *BINÔMIO* — Duzentos soldados do Exército, da Aeronáutica e do CPOR, sob a chefia pessoal de seus respectivos comandantes, no dia 21 de dezembro de 1961, invadiram e destruíram inteiramente as instalações do jornal *Binômio*, que era dirigido pelo autor, conforme registro fotográfico de *O Globo*. A violência militar foi considerada um dos primeiros passos para o golpe de 1964.

A DESPEDIDA DO BRASIL — José Maria deixa o Brasil como exilado. Aparece na foto, despedindo-se da mulher Thereza e dos sete filhos do casal no Aeroporto do Galeão, no Rio, tomando o destino da Bolívia.

O PODER MILITAR — As armas, em 1964, assassinaram a democracia.

O GOLPE NO CHILE — O Palácio La Moneda, sede da presidência, é destruído pelo bombardeio da força aérea. O golpe chileno destituiu um presidente legal, Salvador Allende, como ocorrera no Brasil contra Vargas e Goulart e mais recentemente o impeachment de Dilma.

APOIO INTERNACIONAL — Leonel Brizola, líder contra a ditadura no Brasil, procura apoio na França à luta pela redemocratização. Na visita a François Mitterrand, presidente francês, aparece acompanhado de outros exilados, entre eles Rabêlo, que está a sua direita.

Correspondentes de BINÔMIO em Rio, São Paulo e Brasília revelam

BRASIL JÁ EM MARCHA BATIDA PARA O GOLPE

1 AGITAÇÃO NA GUANABARA É NÔVO PLANO COHEN PARA INSTALAÇÃO DE REGIME DE EXCEÇÃO;

2 OPOSIÇÃO ARTICULA, EM BRASÍLIA, NA CÂMARA DOS DEPUTADOS, IMPEDIMENTO DO SR. JOÃO GOULART;

3 "O ESTADO DE SÃO PAULO" PEDE INTERVENÇÃO DAS FÔRÇAS ARMADAS PARA SOLUÇÃO DA CRISE SOCIAL NO PAÍS.

Dois dispositivos golpistas já estão em pleno andamento no País, visando a impedir a volta aos podêres presidencialistas da Constituição de 1946, com o plebiscito de 6 de janeiro: 1) a seqüência de descoberta de atividades guerrilheiras no Brasil e a denúncia da subversão por greves na Guanabara, denunciada pelo sr. Carlos Lacerda com a cobertura do ministro da Guerra, criam condições para um nôvo Plano Cohen que derrubará o sr. João Goulart em nome do anticomunismo; 2) em Brasília, fôrças parlamentares (às quais se juntaria o PSD) articulam o impedimento do presidente da República, para depois do plebiscito ao qual negam qualquer validade de decisão. (Página 3 — Caderno 1).

A PREPARAÇÃO DO GOLPE — O *Binômio* denunciou repetidamente a preparação do golpe de 1964. A edição acima é de 17 de dezembro de 1962.

MARCHA DO ROSÁRIO — Um dos pontos altos da preparação do golpe foi a participação de setores da Igreja Católica. O padre irlandês Patrick Peyton foi trazido ao Brasil para apoiar as manifestações golpistas, usando de recursos de seu movimento direitista Cruzada do Rosário em Família.

A FUGA — Para sair de Belo Horizonte, Rabêlo usou vários artifícios. Um deles foi a batina, emprestada pelo famoso padre Francisco Lage, com a qual aparece ao lado, que o ajudou a fugir. Ela será doada ao Museu da Resistência, que está sendo organizado em Belo Horizonte.

CONDENAÇÃO GERAL — Toda a imprensa brasileira condenou a violência contra o Binômio, com repercussão em jornais de vários países.

ÀS VÉSPERAS DO GOLPE — Duas últimas manifestações antes da intervenção militar em março de 1964: Goulart no comício da Central do Brasil e na assembleia com o movimento dos sargentos na sede do Automóvel Clube no Rio. Horas depois as tropas estavam na rua para derrubar seu governo.

MARINHEIROS EM DEFESA DE GOULART — Na véspera do golpe, marinheiros realizam assembleia em defesa do governo legal.

DEPREDAÇÃO DA UNE — Os golpistas incendiaram a sede da UNE, União Nacional dos Estudantes, na Praia do Flamengo, no Rio, como represália à posição da entidade na defesa do governo Goulart.

AS TROPAS CONTRA GOULART — Uma coluna de soldados do Exército parte de Juiz de Fora com destino ao Rio, dando início ao golpe contra Goulart.

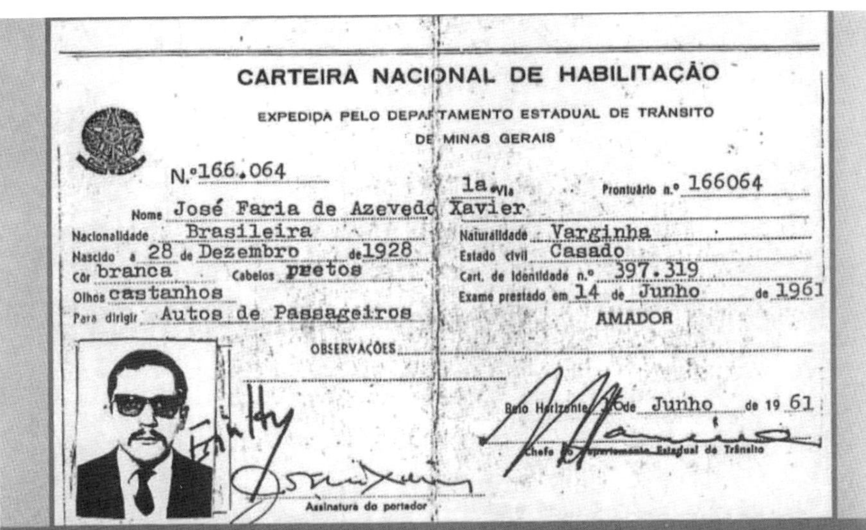
CARTEIRA NACIONAL DE HABILITAÇÃO

EXPEDIDA PELO DEPARTAMENTO ESTADUAL DE TRÂNSITO DE MINAS GERAIS

N.º 166.064

1a VIa

Prontuário n.º 166064

Nome José Faria de Azevedo Xavier

Nacionalidade Brasileira

Naturalidade Varginha

Nascido a 28 de Dezembro de 1928

Estado civil Casado

Côr branca

Cabelos pretos

Cart. de Identidade n.º 397.319

Olhos castanhos

Exame prestado em 14 de Junho de 1961

Para dirigir Autos de Passageiros

AMADOR

OBSERVAÇÕES

Belo Horizonte, de Junho de 1961

Chefe do Departamento Estadual de Trânsito

Assinatura do portador

DE CARA E NOME TROCADOS – Nos meses em que esteve clandestino no Brasil o jornalista José Maria Rabêlo usou, como identidade, uma carteira falsa de motorista. Passou a chamar-se José Faria de Azevedo Xavier e mudou inteiramente a aparência.

IDENTIDADE FALSA — Durante o período de clandestinidade no Brasil, antes de partir para o exílio Rabêlo usou vários recursos para fugir à vigilância policial, inclusive uma carteira de habilitação com o rosto modificado e o nome trocado para José Faria de Azevedo Xavier.

AS MÃOS DA CIA — A CIA teve participação decisiva na organização do golpe contra Goulart. Milhões de dólares foram investidos pelos serviços secretos americanos, para a compra de armas e de outros recursos destinados ao levante, além do financiamento das manifestações contra o governo que ocorreram em todo o país. Na foto, o general Vernon Walters, então adido militar da embaixada americana e mais tarde diretor da CIA. Vernon atuou também no golpe chileno.

GOLPISTAS NO PALÁCIO DA LIBERDADE — Três dos principais comandantes do golpe contra Goulart reúnem-se no Palácio da Liberdade, após a vitória do movimento: os generais Carlos Luiz Guedes e Antônio Carlos Murici e o governador de Minas, banqueiro Magalhães Pinto.

DIA DOS PAIS SEM PAPAI — A revista *O Cruzeiro* publicou no primeiro dia dos pais depois do golpe uma reportagem sobre as famílias de exilados que ficaram no Brasil. Na foto da revista aparecem Thereza e seus sete filhos. José Maria já estava exilado na Bolívia, primeira etapa de sua vida no exterior.

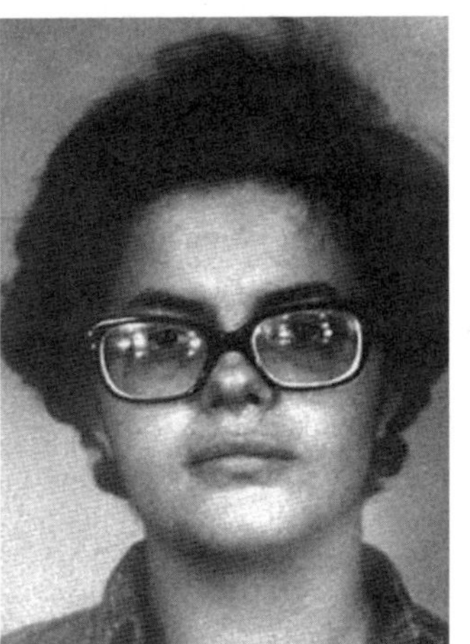

FRENTE À JUSTIÇA MILITAR — Sessão da Justiça Militar, na 4ª Região, em Juiz de Fora. Os acusados: o artista plástico Guido Rocha, o atual governador de Minas Fernando Pimentel e a presidente Dilma Rousseff, entre outros processados, enfrentam seus julgadores. Ao lado, à direita, Dilma então com 19 anos.

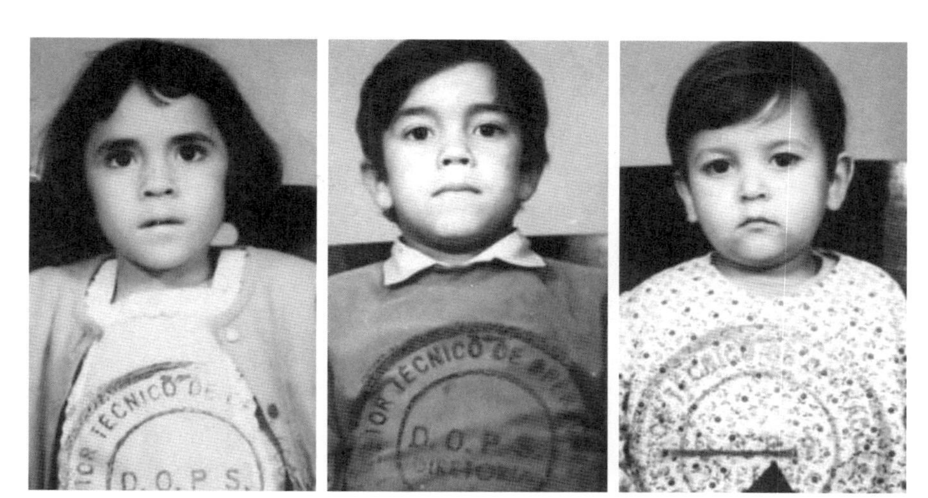

AMEAÇAS AO REGIME — As três crianças acima são fotografadas e fichadas pelas autoridades militares em São Paulo, como inimigas do regime. Zuleide, de nove anos, e seus irmãos de seis e dois foram "capturados" no Vale do Ribeira, onde sua família se engajara na luta armada contra a ditadura. Banidas do Brasil, ao lado dos 40 presos políticos, entre eles seus pais, que se dirigiram à Argélia e a Cuba.

SALUDOS AL PUEBLO BOLIVIANO — Os Exilados brasileiros, em La Paz, desfilam no dia da independência nacional do país. Foram vivamente aplaudidos durante o desfile.

O PRIMEIRO TRANSPORTE — Como os carros no Chile eram muito caros, a família Rabêlo teve de contentar-se com uma Isetta nos primeiros tempos. Eram nove pessoas para um veículo que acomodava apenas três, como se vê na foto em que aparecem Thereza, José Maria e as crianças.

DOM HÉLDER NO CHILE — O arcebispo Dom Hélder Câmara, um dos baluartes da resistência à ditadura, visita os exilados em Santiago. Sua viagem foi seguida de perto por policiais brasileiros.

CARTAS CHILENAS
segunda epoca

Santiago, 22 feb. 1972

Ano II N. 4

B R A S I L : LA ESTRATEGIA GENERAL DEL SUBIMPERIALISMO

El expansionismo brasilero tiene tres objetivos: America del Sur, Antartida y Africa.

En nuestro continente, se contemplan dos tipos de accion: apoyo a gobiernos sumisos (Bolivia) y la intervencion (armada?) en paises "hostiles" (Chile, Guyana, Uruguay).

A Antartida quiere llegar como pais "colindante" y a Africa atraves de una Restauracion Imperial con Portugal y sus colonias.

objetivo # 2

UNA ANTARTIDA BRASILERA

"Un enorme continente helado, rico en minerales, desafio constante a la investigacion cientifica y de considerable importancia politica, esta a la espera de Brasil. Nuestro gobierno exige su inclusion en el Tratado de la Antartida, del cual fue inexplicablemente excluido".

La revelacion la hace la nueva y sofisticada revista mensual "Contexto", editada en Sao Paulo, en su numero 1, de diciembre pasado y constituye el reconocimiento publico del segundo objetivo estrategico del subimperialismo brasilero.

Prosigue la revista: "A Brasil caberia la parte central del Mar de Weddel, entre los meridianos 28 y 53 grados oeste. En la parte oceanica, reivindicamos las islas Orcadas y Georgia del Sur, que Inglaterra y Argentina han venido disputando. En la parte continental (...) existen tres bases militares: la de Belgrano, de Argentina; la de Ellsworth, de EE.UU, cedida al Instituto Antartico Argentino y la de Schackleton, de Gran Bretana".

La "Antartida Brasilera" comprende un area de 550.000 km2 (casi la superficie de Chile) y es riquisima en petroleo, uranio, torio, carbon, diamantes, cobre, etc.

Estrategicamente, representaria la extension de las fronteras fisicas de Brasil al extremo sur del Continente y un acceso seguro al Pacifico, anhelo secular de los grupos expansionistas bra

CARTAS CHILENAS — Exilados brasileiros editaram em Santiago uma série de publicações contra a ditadura intitulada Cartas Chilenas Segunda Época. O título é uma referência às Cartas Chilenas, lançadas clandestinamente pelos inconfidentes mineiros, em Ouro Preto, contra a dominação colonial portuguesa.

POUCAS HORAS ANTES DA QUEDA — No dia 11 de setembro de 1973, pela manhã, Allende chega ao palácio presidencial, onde comandaria a resistência ao golpe. Foi assassinado, pouco tempo depois, durante o bombardeio do palácio.

CERCO AO PALÁCIO LA MONEDA — Militares tomam posição de tiro na ruas e em edifícios próximos ao Palácio de La Moneda, no Chile, onde estava entrincheirado o presidente Salvador Allende. Ele morreu combatendo de arma na mão.

OS EUA APOIAM O GOLPE NO CHILE — Os EUA deram todo seu apoio ao golpe chileno. Na foto, o secretário de estado Henry Kissinger leva ao ditador Pinochet os cumprimentos de Washington pela derrubada de Allende.

A QUEIMA DE LIVROS — Soldados do Exército, em Santiago, fazem uma pequena fogueira com os livros retirados de uma das livrarias de Rabêlo.

A IMAGEM DA TIRANIA — Num golpe dentro do golpe, Pinochet assume isoladamente o poder, descartando os demais membros da Junta Militar: o almirante Toribio Merino, da Marinha; o brigadeiro Gustavo Leigh, da Aeronáutica e o general César Mendonza, comandante da Polícia Militar. Balanço da ditadura: três mil mortos, cinco mil presos ou desaparecidos, dez mil exilados.

PARA A COLÔNIA PORTUGUESA — Em Paris, José Maria assumiu a direção da Librairie Portugaise criada por Mário Soares para o trabalho político junto aos imigrantes portugueses.

A LIVRARIA EM PARIS — Localizada no centro de Paris, à Rue des Écoles, transformou-se em ponto de encontro de intelectuais brasileiros e de outros países latino-americanos e de outras partes do mundo. Na foto aparece o escritor e crítico de arte Mário Pedrosa, ao lado de sua mulher Mary, professora de literatura, com o casal José Maria e Thereza.

PELA ABERTURA — Exilados brasileiros na França realizam vários eventos em favor da redemocratização no Brasil. Acima, dois flagrantes da greve de fome promovida por eles em uma igreja de Paris, vendo-se ao centro o autor deste livro.

MOMENTO DE LAZER — José Maria, Thereza e a filha Patrícia, já nos últimos dias do exílio, em foto tomada diante da Igreja de Notre Dâme em Paris.

O ENCONTRO DE LISBOA — Mais de 200 delegados, do Brasil e do exterior, participaram do ato em Lisboa, em junho de 1979. Então foi decidida a recriação do PTB, Partido Trabalhista Brasileiro, sob a liderança de Brizola, que mais tarde seria transformado em PDT, Partido Democrático Trabalhista, depois da expropriação da antiga siga pelo governo ditatorial

O REENCONTRO COM OS JORNALISTAS — José Maria fala a seus colegas na sede do Sindicato dos Jornalistas de Minas Gerais, logo após sua volta ao Brasil, aparecendo ao lado sua mulher Thereza.

VISITA AOS JORNAIS — Em visita a diferentes jornais em Belo Horizonte, José Maria aparece ao lado dos jornalistas Dídimo Paiva, presidente do sindicato da classe, Geraldo Elísio (Pica Pau) e Carlos Felipe.

TERCEIRA PARTE

Uma Família Brasileira no Exílio

Entrevista ao jornal Pasquim, em agosto de 1978, com texto da jornalista Iza Freaza e fotos de Eulália Maia.

"Só concebemos a volta, se pudermos
retomar nossa posição junto ao povo brasileiro.
Voltar simplesmente por voltar, baixando a cabeça, nunca.
Seria preferível continuar aqui para sempre".

Uma situação dessas é uma vergonha para todo o povo brasileiro. Eles não mataram, não roubaram, não faliram fraudulentamente, não são do Esquadrão da Morte, não são suspeitos da morte de Cláudia Lessin, nem da de Zuzu Angel, não trouxeram a peste suína para o Brasil, mas não podem regressar à pátria.

PASQUIM entrevista em Paris o jornalista José Maria Rabêlo, sua mulher Thereza e os filhos do casal.

Quando procurei o José Maria, em sua livraria, na Rue des Écoles, em pleno Quartier Latin, meu objetivo não era só entrevistar o jornalista e fundador do *Binômio*, ex-candidato a prefeito de Belo Horizonte, cassado e caçado em 1964 e exilado depois na Bolívia, Chile e França. Queria também ouvir o resto da família, a Thereza e os filhos, que saíram do Brasil em 1965, nas pegadas do Zé Maria.

Valeu a pena vencer a sua resistência inicial, pois ele temia dar a impressão de estar se promovendo às vésperas da volta, e passar uma tarde com a família em seu apartamento num tranquilo subúrbio de Paris. Na saída, eu e Eulália Maia, que fez as fotos, discutíamos as surpresas da entrevista e as reações do caçula, o Ricardo, que saiu do Brasil com pouco menos de dois anos e morre de vontade de conhecer seu país natal. Num gesto largo, ele se despediu da gente, gritando: "Um beijo pro povo brasileiro". Tá dado. — **(Iza Freaza).**

Grande confusão na cozinha, os filhos de Zé Maria discutindo política com alguns colegas que chegaram. É dia de eleição na França. Thereza pede calma.

IZA — Vocês acabaram aí a falação? Posso começar a entrevista?

Ricardo (entrando na sala com um cachorro que zoneia tudo) — Olha, o Tommy também quer ser entrevistado.

Zé Maria — Tire esse cachorro daqui. Mas não é possível!

Ricardo (explicando) — É que ele também quer ir pro Brasil.

IZA — (pro cachorro) — Tá bem , Tommy, anistiado vai ter direito a levar cachorro; agora, fica quietinho. (Pro menino) Vem cá, diz seu nome, idade...

Ricardo — Meu nome? Ricardo, 14 anos.

IZA — Nasceu no Brasil?

Ricardo — Claro, em Belo Horizonte.

Fernando (entrando) — Mentira, tu é chileno, tu é chileno...

IZA - E você aí diz seu nome...

Fernando — Eu sou o Fernando, 15 anos.

Ricardo — Sabe porque ele diz que eu sou chileno? É que eu fui pro Chile com menos de dois anos. Nunca mais fui ao Brasil. Conheço mais chileno que brasileiro.

Zé Maria — Chileno, culturalmente, né? Culturalmente.

IZA — Pra onde você quer voltar, pro Chile ou pro Brasil?

Ricardo (sem hesitar) — Pros dois.

IZA — (rindo) — Esperto... foi na mosca.

Zé Maria — Dois nasceram no Rio, os mais velhos. O resto todo é de Belo Horizonte. Aquele ali é o Hélio, tem 16 anos.

IZA — Zé Maria, vamos aproveitar que o cachorro foi lá pra dentro. Explica aí quem é você, etc. e tal...

Zé Maria — Jornalista, ex-diretor do *Binômio*, de Belo Horizonte; ex-diretor do *El Clarín*, de La Paz; ex-diretor da Livraria e Editora de Ciências Sociais de Santiago do Chile, e agora, depois de tantos **exs**, responsável pela Librairie-Centre des Pays de Langue Espagnole et Portugaise, em Paris, a única livraria no exterior de promoção cultural dos países de língua portuguesa e espanhola.

IZA — Quantos anos de jornalismo, Zé Maria?

Zé Maria — Quase vinte anos, até o dia 29 de março de 1964, quando eu vi pela última vez a redação do *Binômio*. Naquele dia foi acionado o esquema do golpe em Minas, 48 horas antes do que no resto do País, com ocupação militar de todo o Estado e prisão das figuras ligadas ao movimento popular. Foi o que Magalhães Pinto, então governador, chamou muito apropriadamente de "Operação Gaiola". Quando entrei no elevador para abandonar o edifício — deixei de ser preso por uma questão de segundos — estava começando uma longa viagem que me levaria ao primeiro refúgio, no bairro de Carlos Prates, e daí à clandestinidade e ao exílio. No exterior, sem direito a voltar, a gente vai se afastando, não apenas do nosso meio geográfico, mas também de nossas raízes, de nossa identidade. É uma sucessão de cortes, de rupturas, que a gente procura evitar, tenta contornar, mas nem sempre consegue.

IZA — Você é mineiro, né Zé Maria?

Zé Maria — Nasci em Campos Gerais, mas não os Campos Gerais de Guimarães Rosa. De vez em quando alguém chega e diz "ah, já ouvi falar muito de sua terra..." e eu deixo a confusão, né? Mas a minha é mais ao sul do Estado, grande produtora de café. Depois, na escala natural de todo jovem em busca de um lugar melhor para estudar, fui para Belo Horizonte. Uns tempos no Rio e depois Belo Horizonte de novo, onde passei quase vinte anos. Sou muito ligado à Cidade, tendo sido inclusive candidato a prefeito, com apoio dos partidos e movimentos de esquerda. A essa altura, se pudesse fazer uma opção, creio que voltaria pra lá.

IZA — Como é que foram os primeiros tempos lá? Você já atuava?

Zé Maria — Foi muito complicado, né? Era de uma família grande, doze filhos, que havia se transferido para Belo Horizonte e teve de voltar para Campos Gerais porque a mudança não deu certo. Mas eu fiquei, para estudar e trabalhar. Desde menino, a gente começava a notar que havia coisas que estavam erradas, e ia se formando uma consciência difusa de que era preciso mudar a sociedade. Em Belo Horizonte, um centro maior, já se fazia a discussão das ideias. Com 17, 18 anos, eu entrei no antigo Partido Socialista Brasileiro, que naquela época, era a chamada Esquerda Democrática. E a partir daí assumi todo esse compromisso com certos princípios, pelos quais estamos no exílio. A opção política é antes de tudo uma opção moral. Eu não posso acreditar que alguém se diga socialista se não se irrite e não se indigne frente à injustiça.

Ricardo (pra mãe) — Gordinha, vem ver o Zé Maria dar entrevista.

IZA (parando Thereza) — Nome, etc. e tal...

Thereza — Nome completo Therezinha Guimarães Martins Rabêlo, mas só assino Thereza Rabêlo.

Eulália — Mãe da criançada e mulher do Zé Maria.

Zé Maria — A "loura da caixa", lá na livraria.

IZA — E o primeiro trabalho em Belo Horizonte, Zé Maria?

Zé Maria — Foi num serviço de alto-falante. Eu e o Mauro Santayanna, mais tarde prêmio Esso de Jornalismo. A gente dizia: "Serviço de alto-falantes de Belo Horizonte, transmitindo da Praça Sete para todos os bairros". Era no ponto de partida e chegada de quase todos os bondes que serviam à Cidade. Transmitíamos músicas, mensagens comerciais e até recados de namorados. Nunca vou me esquecer é do Jacarandá, um pretão que tinha uma banca de frutas ao lado. Foi graças a ele que nos alimentamos durante muito tempo, eu e o Mauro, porque o salário era uma miséria e ainda assim quando conseguíamos receber. Jacarandá pagava por dez anúncios e a gente lia vinte, trinta vezes. E ele nos trazia uma bandeja de frutas no almoço e no jantar. Jacarandá depois virou assunto nacional, porque, frequentador da zona boêmia, deu um beijo tão forte numa prostituta que arrancou o olho da moça... e os jornais só falavam do beijo do Jacarandá... Bem, dali fui para a revista *Cultura Magazine*, do antigo professor de direito e grande mestre de jornalismo, Washington Albino; e depois, pro antigo *Informador Comercial*, hoje *Diário do Comércio*, fundado e dirigido por uma figura exemplar da imprensa mineira, José Costa. Então, eu já tinha parado de estudar, mesmo porque não havia curso de jornalismo naquela época. Terminei o científico, correspondente ao ensino médio, e ficou por aí. E fiz muitos jornaizinhos do Partido Socialista, de entidades estudantis, etc.

IZA — Lembra algum?

Zé Maria — A *Luta Operária*, por exemplo, junto com o escritor e depois famoso psiquiatra Hélio Pellegrino. Em seguida, fui chefe de reportagem dos antigos *Diário de Minas* e *Tribuna de* Minas, estive na *Última Hora*, no Rio e, de novo em Belo Horizonte, dirigi as sucursais do *Diário de Notícias*, da *Última Hora*, da revista *Manchete Esportiva*. Mas deixei a grande imprensa quando o *Binômio* se firmou.

IZA (pra Thereza) — Vocês já eram casados? Como se conheceram?

Thereza — Foi no Rio. Eu tinha que fazer um concurso pros Correios, e minha mãe leu num jornal sobre um curso gratuito, na Av. Rio Branco, 173, segundo andar. Era a sede do Partido Socialista Brasileiro, que organizava esses cursos para tentar conquistar novos adeptos, e o Zé Maria era professor de geografia. Era muito jovem, mas era meu professor, né? Mas acho que a aluna sabia mais geografia que o professor (risos). Aí um dia a gente ia descendo no elevador — cê tá compreendendo? — aquela coisa, ele tava com a roupa suja de giz e eu resolvi limpar...

Zé Maria — Continua limpando até hoje... (risos).

Thereza — É... Foi o começo de uma longa história.

IZA — Sete filhos, né?

Zé Maria — Oito filhos, um que morreu muito cedo e os sete vivos, e três golpes de Estado (risos).

IZA — Zé Maria, te interrompi quando você falava do *Binômio*. Você tem saudades do tempo de jornalista, né?

Zé Maria — Faz quase vinte anos que deixei o jornalismo. Muitas vezes me sinto como um jornalista em férias, à espera da oportunidade de recomeçar. Mas, pensando bem, acho difícil pois estes anos pesaram muito, marcaram a gente até o fundo. Nos modificaram de tal forma que a volta ao passado, por mais que o amemos, é muito difícil.

IZA — Tem gente que diz que o *Binômio* é o pai da imprensa nanica.

Zé Maria — Essa história de pai da imprensa nanica não me agrada muito, envelhece a gente. Eu passo a ser visto como o pai do Jaguar, do Ziraldo e de outros do mesmo time. Inclusive, para buscar a paternidade da imprensa alternativa teríamos que ir mais longe. Para mim, Tomaz Antônio Gonzaga, um dos Inconfidentes Mineiros, que escreveu as *Cartas Chilenas* no século 18, denunciando a dominação portuguesa, merece essa paternidade. Uma paternidade ilustre, como se vê.

IZA — Uma bela paternidade!

Zé Maria — Mais recentemente, o símbolo desta imprensa foi *A Manha* editada pelo Barão de Itararé, a inesquecível figura de Aparício Torelli, misto de cientista, jornalista e combatente político. Uma nota apenas basta para mostrar a capacidade humorística do Barão: "Todos os homens são iguais e uns até piores". O *Binômio* nasceu em 1952, durante o governo de Juscelino Kubistchek em Minas Gerais, cujo slogan era "Binômio Energia e Transporte". Em oposição, resolvemos lançar o **nosso** *Binômio*, que dizíamos ser o verdadeiro, que era "Sombra e Água Fresca". Com muito humor e criatividade, combatíamos os escândalos administrativos, a violência policial, a entrega das riquezas do Estado às multinacionais. Juscelino sempre foi um sublime corruptor, pelo dinheiro ou pela enorme simpatia e, assim, toda a grande imprensa mineira e uma parte da nacional louvava sua administração. Só o *Binômio* o criticava.

Ainda no governo Juscelino, sofremos nossa primeira apreensão. A expressão "pôr rola" em Minas, e creio que também em outras partes do Brasil, tinha uma conotação pornográfica, que você pode imaginar. Juscelino era muito ligado a Joaquim Rolla, um empresário do jogo, pessoa até simpática. Uma vez

Juscelino viajou com Rolla para Araxá, a fim de tratar de assuntos do cassino da cidade, explorado pelo empresário, e nós pusemos a seguinte manchete: JK FOI A ARAXÁ E LEVOU ROLLA, assim com letras maiúsculas, como o R de Rolla para reforçar o duplo sentido. A edição foi apreendida pela polícia e nós entramos com mandado de segurança contra a "autoridade coatora", que, com todo essa denominação pomposa, não passava de um reles delegado de segunda classe. Ganhamos a ação, graças ao desembargador Benício de Paiva, homem puro, fora das coisas da vida, que dizia: "Não vejo nada demais, porque eles explicam aqui que o governador Juscelino Kubistchek foi a Araxá e levou o Sr. Joaquim Rolla em sua companhia..." (risos). Essa é apenas uma amostra do humor que fazíamos, muito criativo, muito crítico, mas sem grosserias. O jornal durou 12 anos e foi um sucesso, pois havia muita coisa a dizer que o resto da imprensa nada dizia. Viveu três fases... Na segunda combatemos, com reportagens e crítica política, o governo Bias Fortes...

Thereza — Hiii, o Bias sofreu com eles.

Zé Maria — Jornalismo duro, de muitas denúncias. Por exemplo, fomos o primeiro jornal a denunciar o tráfico de nordestinos para trabalharem em fazendas do sul do País, numa reportagem de repercussão nacional e até internacional, feita pelo Roberto Drummond, mais tarde romancista consagrado, e o fotógrafo Antônio Cocenza. De outra vez denunciamos documentadamente a corrupção na polícia civil de Minas. Dos 450 homens do antigo Corpo de Segurança do Estado, cerca de 420 estavam matriculados como boleiros permanentes na escrita do principal bicheiro de Belo Horizonte. Naqueles 12 anos, o jornal, que começou praticamente feito à mão, por dois jovens jornalistas, eu e o Euro Luís Arantes, tinha formado toda uma geração de profissionais de primeira linha, que ganharam projeção ocupando os mais altos cargos da imprensa brasileira. Muitos anos de luta...

Eu era uma pessoa visadíssima, principalmente por causa do incidente com o general Punaro Bley e os militares que depredaram o jornal. Por isso, no dia 29 de março de 1964, fui obrigado a sumir, pois já estavam me procurando por toda parte, e nem queria imaginar o que se teria passado comigo se tivessem me detido. Mais tarde, fiquei sabendo, por intermédio de pessoas ligadas a eles, que, para humilhar-me, pretendiam desfilar comigo pelas ruas da Cidade, quase nu, tendo os pés e mãos amarrados, como fizeram com Gregório Bezerra em Recife, também envolvido em antigo problema com as Forças Armadas.

IZA — Como foi esse incidente com o general?

Zé Maria — O general Punaro Bley, então comandante da Infantaria Divisionária de Belo Horizonte, era a segunda autoridade militar em Minas e que vinha com a fama de muito durão. A convite da Associação Comercial, tinha feito duas ou três conferências denunciando o "perigo comunista" e os riscos que estaria correndo a democracia brasileira sob o governo João Goulart. Conferências bem no estilo de provocação anticomunista então em voga. A grande imprensa aplaudiu. Nós respondemos que, de fato, a democracia precisava sempre ser defendida, mas que era preciso saber a quem entregar esta tarefa. Não podia ser, dizíamos nós, a quem foi simpatizante do nazismo e do fascismo durante a guerra, que havia construído campos de concentração para os prisioneiros políticos do Estado Novo, que se pôs a serviço da ação dos integralistas como seu seguidor[6]. Ele tinha sido interventor no Espírito Santo, onde havia construído os tais campos de concentração, sendo constante sua presença nas manifestações integralistas...

[6] Integralistas. Pertencentes à antiga Ação Integralista Brasileira, que reunia a extrema direita do País, simpatizantes do nazi-fascismo.

IZA — Ainda está vivo esse tremendo democrata?

Zé Maria — Não sei. Mas, então, ele foi ao jornal, para aplicar uma lição naquele civil de m... como prometera antes a seus pares. Entrou na minha sala, dando socos na minha mesa, querendo saber quem tinha escrito aquilo. Quando eu disse que era o responsável por tudo que saía no jornal, ele me pegou pelo pescoço e começou a me agredir com socos e pontapés, inclusive com a chamada insígnia de comando que levava consigo. Aí eu reagi, e nesse confronto, ele levou clara desvantagem, recebendo vários golpes no rosto e pelo corpo. Estava no meu direito, agredido que fora no meu escritório, em minha mesa de trabalho. Com o barulho da luta, outras pessoas vieram e conseguiram nos separar. E ele saiu dizendo: "Isso não vai ficar assim". E não ficou. Poucas horas depois, um grupo de cerca de 200 homens fortemente armados isolou parte do centro da Cidade, desviando os ônibus da rua onde se localizava o jornal. Invadiram a redação e quebraram tudo, até as instalações sanitárias. Foram três os comandantes dessa corajosa operação.

Thereza — Zé Maria, acho que nesse momento é melhor não citar nomes.

Zé Maria — Vale citar, sim. E eu não vou voltar lá se não for pra citar o nome de todos eles. Não confundo a totalidade das Forças Armadas com um bando de desordeiros. E, por isso mesmo, os que representam a arbitrariedade devem ser denunciados. Foram eles: o então comandante do 10º Regimento da Infantaria, hoje general Itiberê Gouveia do Amaral; o coronel Antônio Lana, comandante da Base Aérea da Pampulha, e o coronel Roberto Resende, o "Bigode Branco", comandante do CPOR. Foi o próprio Exército, num inquérito policial-militar presidido pelo insuspeitíssimo general Carlos Guedes, um dos chefes da "revolução", que me absolveu, mandando arquivar o processo contra mim.

IZA — E quando foi esse glorioso evento usando o nome das Forças Armadas?

Zé Maria — Sim. Foi no dia 21 de dezembro de 1961, pouco mais de dois anos antes do golpe militar. Foi uma ação isolada de um grupo de baderneiros fardados, todos eles punidos pelos seus superiores, tendo sido removidos de Belo Horizonte. O general pediu sua passagem à reserva.

IZA — E como foi depois do incidente?

Zé Maria — Foram anos de muita insegurança, quando eu ainda sofri ameaças daqueles maus militares e de amigos seus.

IZA — E quando chegou o 31 de março, o que é que aconteceu?

Zé Maria — Estavam me procurando por toda parte e eu escapei por verdadeiro milagre. Quando subiram por um dos elevadores do prédio do jornal para prender-me, eu descia pelo outro, cruzando-nos no caminho. Fugi de Belo Horizonte e fiquei escondido em São Paulo dois meses antes de ir para o Rio e pedir asilo na Embaixada da Bolívia, que ainda funcionava na ex-capital federal.

Thereza — Foi um período horrível, inclusive porque o general Guedes, disse na televisão que era tolice tentar escapar, porque o Zé Maria não conseguiria sair da Cidade. Vejam a minha angústia.

Zé Maria — Naquele dia eu já estava chegando a São Paulo.

IZA (pros mais velhos) — Vocês tinham que idade? Já sacavam as coisas?

Dudu — Completamente. Eu tinha 12 anos, estudava num grupo, e eles seguiram a gente.

Thereza — Pra ver se o Zé Maria ia se encontrar com eles.

Dudu (pra mãe) — Se lembra que na 4ª Região Militar você entrou pra falar com o comandante, eu fiquei esperando e veio um oficial simpático, todo gentil, "onde está seu pai" coisa e tal?

IZA — E você, vivo, sacando...

Dudu — Eu também não sabia, diga-se de passagem.

Thereza — Invadiram nossa casa, destruíram móveis e até os brinquedos das crianças.

Zé Maria — Incomodavam todo mundo, prenderam alguns funcionários e redatores do jornal, o cerco foi aumentando e então eu pedi o asilo e fui para a Bolívia, lá ficando até o golpe do general René Barrientos.

Thereza — Olha que azar: tinha viajado para a Bolívia, sozinha, pra preparar com o Zé Maria a ida da criançada, pois ele havia conseguido um bom emprego lá. No dia em que colocamos anúncio no jornal procurando casa para alugar, houve o golpe que derrubou Paz Stenssoro, inclusive com o apoio dos militares brasileiros, e a gente teve que mudar os planos outra vez. O Zé Maria foi pro Chile e eu voltei para Belo Horizonte.

IZA — Como é que vocês viveram, durante esse tempo?

Thereza — Vendemos tudo o que tínhamos, uma casa em construção na Pampulha, um lote muito valorizado, as coisas do *Binômio*. Com isso e mais meu pequeno salário de funcionária dos Correios, mais um pouco que o Zé Maria mandava e a ajuda de amigos e parentes, fui levando a vida com as dificuldades que se pode imaginar. Em dezembro de 1965, depois de todos esses atropelos, parti para o Chile com a meninada. Parecia um sonho.

IZA — Sozinha, com essa turma toda?

Thereza — Sozinha. No avião, foi uma trabalheira. Tinha dois de mamadeira.

IZA — Você trabalhava em quê, Zé Maria?

Zé Maria — No Chile, não consegui trabalhar em jornal. Durante cinco anos, dirigi o departamento de divulgação de um organismo internacional de ciências sociais, fazendo livros, revistas, jornais especializados. Quando aquele organismo se foi do Chile, resolvi mudar de atividade e me tornei livreiro e editor, tendo organizado, em dois anos e meio, um dos maiores sistemas de importação, distribuição e venda de livros do país. Mas veio o golpe de Pinochet, e em poucas horas todo aquele trabalho foi destruído. Muitos daqueles livros que vocês viram sendo queimados nas ruas de Santiago tinham sido retirados das nossas livrarias.

IZA — E aí, Thereza, a adaptação no Chile foi difícil, não é mesmo?

Thereza — No começo, sim; mas eu sempre digo que o meu primeiro exílio foi em Belo Horizonte. Ficava olhando aquelas montanhas e dava uma saudade do Rio, uma angústia... só mesmo tendo muito amor.

IZA — Zé Maria, isso é uma declaração de amor...

Thereza — Não é mesmo?

IZA — Quer dizer que o exílio em Minas te preparou pros outros?

Thereza — Depois, me acostumei. Hoje eu adoro Belo Horizonte e acho até que preferia voltar pra lá.

Hélio — Não, pra Belo Horizonte não.

Ricardo — É tudo igual, gente, é só voltar... (discussão acalorada da família sobre qual cidade, Rio ou Belo Horizonte, seria a escolhida para a volta).

Dudu — O Chile foi um negócio muito importante pra gente.

Thereza — Sou chilena de coração. Adoramos o Chile.

Dudu — Naquela época o Chile era delicioso, uma calma, uma tranquilidade...

Fernando — Tá falando o social-democrata...

Ricardo (não resistindo e novamente participando) — A Thereza e o Zé Maria não tinham muito dinheiro e deixavam a gente nu na rua (risos). É verdade, é verdade (pra Thereza). Não vai falar que é mentira, porque, quando eu tinha sete anos, eu fui na casa de uma senhora que morava ali perto da gente e ela falou: "Ah, eu me lembro que quando vocês tinham três, quatro anos, andavam pelados na rua..."

Thereza — Eles eram pequenininhos, né? E quando eu cheguei, no verão, eu fazia como no Brasil: tirava as roupas deles e os deixava brincando nuzinhos. Alguns vizinhos, soube mais tarde, estranhavam (rindo)... eu não tenho culpa.

IZA — No dia do pega pra capar, no Chile, como é que você fez com essa criançada toda, Thereza?

Dudu — Ah, essa história tem que ser contada.

IZA — A lista em que te ameaçavam de fuzilamento, Zé Maria?

Zé Maria — O golpe foi numa terça-feira e já no dia seguinte saiu um comunicado trazendo uma lista com os nomes de 91 pessoas que deviam se apresentar até as quatro horas da tarde, no Ministério da Defesa, sob pena de fuzilamento ou mais ou menos isso. Lá estava praticamente toda a liderança da esquerda. Do Brasil, eu e o Theotônio dos Santos, sociólogo muito conhecido no Chile, também mineiro.

IZA — Isso é que é a glória né?

Zé Maria — A glória, mas uma glória danada de cara. Então, vejam aí: que fazer? Depois do bombardeio do Palácio de La Moneda e da morte de Allende, foi decretado o toque de recolher. E você não podia sair à rua porque era fuzilado. Ao mesmo tempo, aparece uma lista dizendo que você tem que se apresentar sob ameaça de fuzilamento.

Dudu — Mesmo.

Zé Maria — E havia, pelos rádios e jornais, toda uma campanha mobilizando a população contra os estrangeiros, dizendo que nós tínhamos organizado um exército de 15 mil homens para espalhar o terror no Chile, com o apoio financeiro de Cuba. Se um estrangeiro comum já estava ameaçado, imagina agora os que figuravam naquela lista sinistra. Então, que fazer? Ficar em casa esperando que eles viessem nos fuzilar, ou sair, com o toque de recolher, e ser fuzilado em plena rua? Você pode bem imaginar as horas angustiantes que vivemos...

Dudu (balançando a cabeça, enquanto Thereza aperta as mãos.).

— Não, não, aquelas horas...

Hélio — Olha, eu vou lhe contar uma coisa que nunca vou esquecer...

Zé Maria — Isso até a quinta-feira, ao meio-dia, quando eles suspenderam o toque de recolher por algumas horas para que as pessoas pudessem fazer suas compras, pois as casas estavam ficando desabastecidas. Mais ou menos naquele momento, a Thereza, os meninos menores e eu saímos fingindo que também íamos fazer nossas compras. Já havia um carro me esperando a algumas quadras dali... e eu fiquei escondido oito dias, na casa de um amigo chileno, até que pela Rádio Havana ouvimos que um avião FAB estava chegando ao Chile com policiais e militares do Brasil para interrogar os brasileiros que estavam presos. Aí, eu pensei: não dá para esperar mais. Então, me asilei na Embaixada do Panamá. Pouco depois o Dudu também se exilou lá.

IZA (pro Hélio) — **Você disse aí: "uma coisa que nunca vou esquecer..."**

Hélio — É que no segundo dia do toque de recolher, militares chegaram na rua em três caminhões e se jogaram pelo chão com suas metralhadoras. Então, pensamos que era para nós, que os militares estavam ali para nos prender. Eu tinha medo e o Zé Maria queria sair por detrás, onde tinha uma escola e a Thereza brigando com ele, o agarrava e dizia "não sai que eles vão te matar". Poxa, pra mim, isto eu nunca vou esquecer porque... eu me assustei viu? Mas não era pra nós, era para casa ao lado, onde moravam outros estrangeiros. Lá em casa só foram dias depois.

IZA — E o Zé Maria já estava longe. Nasceu pra lua, viu Zé Maria?

Zé Maria — Não há dúvida.

IZA (pro Didi) — **Como é que foi a sua prisão?**

Thereza — Foi um mês depois do golpe, e por culpa da teimosia, porque ele não quis ficar em casa e foi visitar umas amigas. Aí a situação se agravou ainda mais. O Zé Maria e o Dudu asilados e o Didi preso. Eu então pegava aquela criançada e ia para a embaixada do Brasil tentar conseguir um salvo-conduto para que pudéssemos viajar pra lá. Naquele tempo, nós estávamos com os passaportes vencidos e naquela situação cada dia mais horrível. Minha irmã Warenka, num gesto de grande solidariedade, havia mandado oito passagens pra que eu e os meninos pudéssemos voltar. E nós fazíamos o que era possível, à espera dos salvos-condutos, mas na embaixada diziam que necessitavam de uma autorização do governo brasileiro...

Fernando — O embaixador estava pouco se importando...

Thereza — Era um tal de Antônio da Câmara Canto, sendo chamado de o quinto da Junta, composta de quatro integrantes, devido a suas estreitíssimas ligações com o regime militar. Mas eu ficava horas e horas na embaixada, porque a situação era tão difícil, e vejam vocês que gente insensível, era o único lugar em que eu ainda tinha um pouco de segurança e tranquilidade. Eu pensava que eles iam me ajudar porque éramos brasileiros e as crianças não tinham nada a ver com aquilo tudo. Comprava uns sanduíches, punha as crianças perto de mim, sentava lá e ficava pedindo, tentando convencer...

Dudu — E não era só com a gente. Era também com outros brasileiros.

Thereza — Mas foi um negócio tão incrível que eles fizeram... porque sabendo de tudo o que estava acontecendo, eles deviam ter pegado essas crianças que eram crianças inocentes e ter posto num avião e... e... (começa a chorar). Não, isso eu não perdoo...

Ricardo (num pulo, abraçando a mãe) - Ah, gordinha, vem pra cá, estamos na França, não chora mais, passou tudo, passou tudo isso, ah...que que é isso?

Thereza (chorando) — O que me faz lembrar disso tudo é aquela crueldade, aquela gente nos tapeando; e eu dizia: eu até não me incomodo, eu fico no Chile; mas vocês botam essas crianças num avião para tirá-las desse inferno (chorando). Eu não queria pra mim, mas pra eles, todos menores de idade...

Zé Maria — A embaixada do Uruguai e muitas outras, embora em países sob ditaduras, deram passagem para os filhos dos exilados. Até gente acusada de pertencer aos Tupamaros a embaixada uruguaia ajudou...

Thereza — O que essas crianças sofreram... o embaixador devia ter pegado todas as crianças e levado pra casa dele. Eu resisti o quanto pude; até que, não tendo mais jeito e me sentindo ameaçada, entrei num refúgio das Nações Unidas com todos eles.

Didi (pra distrair a mãe, junto dela): - Menos eu, né Thereza?, que estava passando umas feriazinhas no Estadio Nacional (Thereza não resiste e ri).

IZA — E a sua prisão, Didi?

Didi — Eu caí por causa de duas besteiras: a minha, porque teimei e sai. Eu tinha 18 anos, nessa época, e fui visitar umas amigas; queria saber como elas estavam. Aí, uma patrulha apareceu na rua. E a senhora, mãe das meninas, falou: "Olha, eu vou avisar aos policiais que não tem ninguém aqui". Eles estavam vasculhando todas as casas. Eu disse que ela não saísse porque ia despertar suspeita. Ela teimou, e essa foi a segunda besteira — e foi falar com os oficiais, toda confiante. Ela dizia como todos os chilenos: "Chile es Chile, aqui no pasa nada". O oficial que comandava a patrulha agradeceu muito a ela e depois disse: "Agora vamos revistar sua casa". E eu fui preso.

Thereza — O documento que ele tinha era um passaporte velho, já vencido há bastante tempo. Os policiais não acreditaram em nada do que dizia e nem no documento que indicava que ele estava esperando nova carteira de identidade.

Didi — Eles disseram: é falso, tá detido. Com as mãos aqui (atrás do pescoço) fui levado prum ônibus, onde me fizeram deitar de barriga pra baixo: "Si levantas la cabeza te doy un tiro, concha de tu madre".

IZA — O quê?

Dudu — É um palavrão muito feio: concha de tua mãe, com o sentido de filho da puta.

Didi — Os soldadinhos foram simpáticos, mas os oficiais... Um deles começou a pisar em mim, e eu fiquei durante uma semana com a marca, na cabeça, de um ferro que havia no corredor do ônibus.

Thereza — E quando eu encontrei o Didi, ele estava sem um dente da frente, que eles tinham quebrado com um soco e...

Ricardo (para a mãe) — Não chora, não chora.

Didi — Aí me levaram pra Escola de Telecomunicação, e, na madrugada, para o Estádio Nacional...

Thereza — Mas nós nos mexemos tanto, aqui e no Brasil, que acho que até pensaram que o Didi era um dos presos mais importantes. E, por isso, foi dos últimos a sair. Houve um momento em que estávamos todos no mesmo perímetro, dentro de um mesmo bairro, Dudu e Zé Maria na embaixada do Panamá, Didi no estádio, e eu com as crianças no refúgio, e não sabíamos. E os helicópteros, o barulho...

Fernando — As metralhadoras, taratatrátata... e a mãe dizia: "Meu Deus, pode ser o Didi".

Thereza — A gente tinha que ficar preocupada, né? O Didi tem um problema de audição, e eu ficava pensando: "Meu Deus, esse menino não vai entender nada; se apontam uma metralhadora, ele não vai entender, vai ficar nervoso, vai falar o castelhano mais enrolado..." Eu ficava como doida.

IZA — E depois?

Didi — Vieram me buscar porque a polícia brasileira estava interrogando os brasileiros e eu estava na primeira lista. Eles não falavam em português e escreviam num papel pro oficial chileno perguntar. Tinha um grandão, muito forte, que espancava os presos. Me mostravam dezenas de fotos perguntando se eu conhecia. Eu respondi que havia mais de dez mil brasileiros no Chile e era impossível conhecer todo mundo. "E como é que você sabe que tem 10 mil brasileiros no Chile?" Eu respondi: "Pergunte a qualquer menino na rua e ele responde isso. Todo mundo sabe". Depois, me deixaram em paz.

Thereza — As cartinhas dele me cortavam o coração. Olha essa aqui: "Mãe, muito obrigado pelas coisas". Não me lembro mais que coisas eram.

Fernando — Algumas coisas que precisava.

Thereza (continuando) — "Vou ser transferido pra Penitenciária. Não tenha medo e não se preocupe. Beijos para o Ricardo e para o resto".

Didi — O que me deu mais raiva nessa época foi a polícia brasileira ir sujar ainda mais as mãos também no Chile.

Dudu — Houve mesmo um exilado que ficou lá, e está até hoje colaborando com a polícia chilena. O nome dele é Manuel Custódio Martins, e acusou a gente de aliciar colegas pra guerrilha.

Ricardo — Diz bem direito o nome dele.

Zé Maria — Manuel Custódio Martins, um gaúcho também conhecido como "o homem do dragão amarelo", porque andava sempre com uma camisa com um dragão bordado nas costas. Dizem que já era agente da polícia brasileira antes do golpe.

IZA — Zé Maria, antes de falar na anistia, explica um pouco sua vida aqui na França.

Zé Maria — Bem, depois do Chile, nós viemos pra França-Europa, o mundo desenvolvido... No começo a gente estranha, né? Tudo em ordem, tudo mais ou menos na hora, o formalismo muito grande, as regras diferentes, a língua... O francês, por exemplo, acha o brasileiro muito simpático, muito agradável, gente formidável, mas até prova em contrário, não acredita em nós para coisas mais sérias. De um modo geral, o latino -americano, na Europa, tem primeiro que mostrar que é sério pra que eles acreditem... Isso, no comércio, nas atividades empresariais é ainda mais delicado e causa muitos problemas no início. Mas depois a gente se acostuma. Hoje eu já não tenho quase nenhuma dificuldade de relacionamento com os franceses... Talvez o exílio mais duro tenha sido mesmo o primeiro, quando a gente não tinha experiência de viver no exterior e foi parar lá na ponta dos Andes, nos quatro mil metros de altitude de La Paz. Cheguei em Paris em janeiro de 1974, trabalhei primeiro na Livraria Portuguesa, fundada pelo futuro primeiro-ministro português e mais tarde presidente da República Mário Soares. Mas eu tinha um projeto mais amplo, que era o de uma livraria que fosse, ao mesmo tempo, um centro de atividades culturais relacionadas com todos os países de língua portuguesa e espanhola. Foi esse projeto que nos deu a base para o que pretendíamos fazer. Nós trabalhamos hoje com materiais de 32 países, 25 de língua espanhola e sete de língua portuguesa. Livros, discos, jornais, mesmo a imprensa diária, diapositivos, mapas, guias e até bandeiras. Cobrimos desde o Timor, passando pela África, a Península Ibérica, Brasil e demais países da América Latina, setores de língua espanhola nos Estados Unidos, para chegar quase a fechar o círculo nas Filipinas, onde o espanhol ainda é falado...

IZA — É, nêgo chega ali na sua livraria e não quer mais sair.

Zé Maria — Você procura, por exemplo, um dicionário de hispanismos no tagalo. Sabe o que é tagalo? É uma das línguas faladas nas Filipinas. Pois nós temos. Temos gramáticas de quetchua ou aymara, dos índios bolivianos ou peruanos. Temos um glossário de papiamento. Sabe o que é? Uma mistura de espanhol, português e holandês, falada em Curaçao e outras ilhas do Caribe. Dispomos de todas as publicações da Casa de Las Américas, de Cuba, que nenhuma outra livraria tem. Você também não pode imaginar o que nos pedem. Uma senhora francesa queria um livro sobre a criação de abelhas no Estado do Rio. Outra queria um livro sobre a potência sexual dos negros da Bahia viu? Que se cuidem os negros da Bahia, porque a tal senhora deve estar chegando por lá...

IZA — Explica o batismo do auditório.

Zé Maria — Bem, na livraria criamos um auditório para conferências, debates depois de noites de autógrafos, por exemplo. Julio Cortázar, José Saramago, Augusto Roa Bastos, Celso Furtado, Ernesto Cardenal, Eduardo Galeano, Luiz Carlos Bresser Pereira e outros já participaram, como também inúmeros autores franceses e até mesmo de outros continentes. Na hora de batizar o auditório, adotei uma solução tipicamente mineira, para não desagradar nem os de língua espanhola nem os da portuguesa: Auditório Gil Vicente. Como você sabe, o Gil Vicente escrevia nas duas línguas... O que mais me alegra nesta livraria, entretanto, é que a gente, aqui, estando na Europa, tem a impressão de que não deixou nossos países.

IZA — Agora chegamos no ponto, Zé Maria? Como é que você está vendo as coisas no Brasil?

Zé Maria — Bem, existe neste momento uma onda de contestação que se estende por todas as camadas da vida nacional. O que conhecemos até agora é apenas o indício da intensa fermentação que as atinge de cima a baixo. Mas eu me recuso à dicotomia que opõe civil contra militar. Um velho amigo discutiu comigo, num dia desses, sobre a candidatura de Magalhães Pinto, candidato civil. Eu respondi que a condição de civil não dá atestado de boa conduta a ninguém, muito menos ao Magalhães, que tem suas impressões digitais nos piores atos da preparação do golpe e da ditadura. Eu, que o conheço bem, só posso dizer que essa candidatura deve ser um bom negócio, como sempre para favorecer seu banco.

Thereza — Tá com a corda toda.

IZA — Tô plenamente de acordo. Agora, vamos falar de anistia: vem aí ou não?

Zé Maria — Eu não acredito em anistia como um gesto generoso, altruístico, reconciliador da Ditadura. Como não lhes reconheci nunca o direito de condenar-me, não lhes reconheço nenhuma autoridade moral para absolver-me. Quem vai reconquistar nossa prerrogativa de voltar a viver lá, no pleno exercício de nossa cidadania, é a luta do povo brasileiro. Nós, os perseguidos políticos, somos uma pequeniníssima parcela dos que sofrem a violência do regime, pois os trabalhadores, os mais pobres é que são as maiores vítimas desses 15 anos de achatamento salarial, de opressão e obscurantismo. Acho que nós vamos voltar, porque a ditadura vai ser derrotada pelo povo brasileiro. E voltar de forma digna, de cabeça levantada, para retomar nosso modesto lugar na luta de que nos afastaram pela força. Não tem sentido voltar por voltar...

Dudu — Voltar por voltar, é melhor ficar por aqui; pelo menos a gente mostra que não baixou a cabeça.

IZA — Você acredita então, Zé Maria, que dessa vez a coisa vai mudar, lá...

Zé Maria — Olha, o golpe só foi possível porque eles tinham uma grande base social, formada não somente pelos proprietários de terra ou pela burguesia ligada aos americanos, mas também por grande parte da classe média, envenenada pela propaganda anticomunista que conseguiu criar um clima de pânico por toda parte. Vivíamos um momento de crise, com a ascensão do movimento popular como nunca em nossa história — operários, camponeses, soldados, estudantes, funcionários... toda essa imensa legião de explorados começava a se mexer. Houve erros, exageros, sobretudo, uma amplificação desmedida, em termos publicitários, do que seria a força desse movimento popular. E havia, externamente, o exemplo ainda recente da revolução cubana, que acenava para as massas latino-americanas com a perspectiva de uma revolução vitoriosa.

Zé Maria (continuando) — As classes dominantes e seus subalternos foram tomados, assim, de um medo muito grande. E a certo momento estavam convencidas de que haveria uma revolução social ou coisa parecida. E pumba. O golpe de 64 não foi uma quartelada nem uma simples intervenção dos americanos. É preciso entender isso. Representou uma reação de todas as estruturas tradicionais da sociedade, de setores numericamente expressivos das classes médias, incluindo com destaque os interesses capitalistas estrangeiros, e, claro do governo dos EUA contra o que eles pensavam ser uma revolução iminente. Foi o que Paul Sweezy, o grande pensador marxista norte-americano, chamou de contrarrevolução preventiva. O golpe foi o ponto de partida de um processo contrarrevolucionário em toda América Latina, assim como a ascensão dos fascistas na Itália foi o início da contrarrevolução na Europa, em face da revolução russa de 1917. É claro que estou simplificando, mas foi isso que aconteceu.

IZA — E agora?

Zé Maria — O cenário agora é inteiramente diferente. Embora a situação social no continente não tenha mudado, as forças populares estão na defensiva... olha, tantos exemplos, tantas derrotas: a guerrilha, praticamente em nível continental, o Chile (Allende), o Peru (Velasco Alvarado), etc. As classes tradicionais reforçaram seu poder e esperam viver em paz durante bom pedaço de tempo. Mas há uma crise interna nesses regimes, a começar pelo nosso. A democracia burguesa foi inventada por quem? Em sociedades complexas como a nossa, a democracia é a forma de governo mais interessante, mais funcional para a burguesia, desde que não haja uma ameaça revolucionária. As disputas entre os grupos se fazem mais facilmente nos regimes abertos, parlamentares, que, nos claustros cerrados das ditaduras. Nestes, quem chega primeiro se instala e não quer sair mais. Não é sintomático que a primeira coisa que reclamam esses industriais e comerciantes convertidos à causa democrática seja justamente uma maior participação? A democracia que querem é uma democracia controlada por eles e seus agentes, com muitas salvaguardas. Eles sabem que as forças populares sofreram duros revezes nestes últimos anos, mas sabem também que a situação social no Brasil e no resto do continente é explosiva, quase insustentável.

Mas as classes dominantes não são os únicos protagonistas de nosso momento histórico. Elas farão o possível para restringir, limitar o nível de abertura política e social. Caberá ao movimento popular pressionar para uma maior abertura e direito de livre organização. É a correlação de forças que se formará que vai decidir, finalmente, o grau da democracia que teremos... Eu, de minha parte, não espero grandes avanços no primeiro instante. Acredito bem mais que teremos uma democracia com alguma preocupação social, até mesmo com alguns respingos socialdemocratas, que vai melhorar um pouco a situação dos pobres sem alterar a situação dos ricos. Mais ou menos como aconteceu na Espanha, em Portugal, na Grécia, logo depois da queda das ditaduras que dominaram por muitos anos aqueles países. Mas se você pensa em qualquer coisa que mude fundamentalmente a estrutura de poder dominante, aí a coisa engrossa...

IZA — Esse filme a gente já viu.

Zé Maria — A democracia que vamos ter agora poderá ser o ponto de partida de um longo processo, muito duro, muito cavado, pois nele se jogará, a largo prazo, o destino de grande parte do mundo. O Brasil é hoje um país importante, estratégica e economicamente, uma das últimas reservas do capitalismo mundial. Nixon, que foi presidente dos EUA de 1969 a 1974, tinha razão: para onde ele balançar, irá atrás o resto do continente. Mas, a evolução da situação é que vai determinar o prazo desse período.

Thereza — Às vezes, quando vejo as estatísticas, tenho vergonha de ser brasileira.

Zé Maria — Conheço praticamente toda a América Latina. Em nenhum desses países, posso dizer, existe miséria tão grande e exploração tão agressiva e impiedosa dos pobres como no Brasil. Nós, hoje, somos uma imensa África do Sul, onde os pobres são vítimas de um terrível **apartheid**[7]. Somos 50 ou 60 por cento da população vivendo como os negros da África do Sul. Veja, já existem até áreas onde pobre não pode entrar. Não é assim nas praias do Estado do Rio, de onde os farofeiros foram expulsos?

IZA — Daqui de Paris, como é que você vê essas iniciativas de fundações de partidos de esquerda, partido socialista, trabalhista...

Zé Maria — O nome não importa. O que é preciso é organizar um grande movimento popular, que seja o principal instrumento da ação política das massas brasileiras. O que

[7] Apartheid: regime de segregação racial, na África do Sul, que excluía os negros oficialmente dos benefícios da sociedade. Vigorou até 1994, quando o país eliminou as regras segregacionistas, abrindo o caminho para um governo de maioria negra, sob a liderança de Nelson Mandela.

importa é o programa que ele tenha, que proponha claramente a transformação da sociedade e, mais que tudo, lute por ela. Se o PTB[8], livre de seus vícios passados, vier a ser esse instrumento, ótimo. Ele tem uma bandeira, uma mística, e tem sobretudo uma grande liderança, Leonel Brizola. Ou o PT, quem sabe? No entanto, qualquer que seja a opção, acho que já estamos atrasados, que já perdemos muito tempo. Embora o mais importante agora seja ganhar as próximas eleições e, para isso, é preciso manter a unidade do MDB — Movimento Democrático Brasileiro, que reúne as principais forças políticas contra a ditadura, eu acho que é preciso intensificar a organização do futuro ou futuros partidos das massas brasileiras. Caso contrário, poderemos ser apanhados de uma hora pra outra sem ter o que dizer.

IZA — Olha Zé Maria, como o Tommy está atento ao que você está dizendo, como está interessado...

Zé Maria — É que o Tommy é igual ao cavalo "Complexo", do general Figueiredo: sempre viveu cercado de intelectuais...[9]

NOTA: As filhas Mônica e Patrícia não participaram da entrevista porque estavam em excursão com suas escolas.

[8] O PTB estava sendo reorganizado por Leonel Brizola, cuja sigla lhe foi tomada pela Ditadura. Ele então partiu para a criação do PDT – Partido Democrático Trabalhista.

[9] O general ditador João Baptista Figueiredo certa vez fez uma gracinha com seu cavalo de estimação de nome Complexo, dizendo que ele era muito inteligente, por viver ao lado de alguns intelectuais que visitavam sua casa.

OS AUTORES

JOSÉ MARIA RABÊLO

Jornalista. Fundador e diretor do jornal *Binômio*, considerado um dos precursores da moderna imprensa alternativa brasileira. Trabalhou nos mais importantes jornais brasileiros. Em 1964, em virtude de sua atividade jornalística, teve seus direitos políticos cassados pela ditadura, sendo obrigado a exilar-se. Permaneceu 16 anos no exílio, na Bolívia, no Chile e na França.

É autor dos livros *Binômio. O Jornal que Virou Minas de Cabeça para Baixo*, *Diáspora*, *Residência Provisória* (Poemas), *Belo Horizonte. Do Arraial à Metrópole — 300 Anos de História*, *Cores e Luzes de Belo Horizonte*. Co-autor de *A Formação Histórica de Minas Gerais* (no prelo).

Colabora igualmente em diversas publicações alternativas, como o *Bafafá*, *O Trem Itabirano*, *O Cometa Itabirano*, além da revista *Pauta*, do Sindicato de Jornalistas Profissonais de Minas Gerais.

É diretor da Editora Passado e Presente e vice-presidente da Casa de Jornalistas de Minas Gerais.

E-mail: *josemariarabelo@gmail.com*

THEREZA RABÊLO

Economista. Em companhia de José Maria, viveu quase 16 anos no exílio. Em Santiago, Chile, foi diretora de La Librería de las Ciencias Sociales e em Paris, França, da Librairie-Centre des Pays de Langue Espagnole et Portugaise.

É autora e co-autora dos seguintes livros: *Mémorias do Exílio das Mulheres*, *68 — A Geração que queria Mudar o Mundo: relatos*, *Diáspora*, *O Melhor do Eu*, *Leitora*.

Falecida em 2013.

INFORMAÇÕES SOBRE A

GERAÇÃO EDITORIAL

Para saber mais sobre os títulos e autores
da **GERAÇÃO EDITORIAL**,
visite o site www.geracaoeditorial.com.br
e curta as nossas redes sociais.

Além de informações sobre os próximos lançamentos,
você terá acesso a conteúdos exclusivos
e poderá participar de promoções e sorteios.

geracaoeditorial.com.br

/geracaoeditorial

@geracaobooks

@geracaoeditorial

Se quiser receber informações por *e-mail*,
basta se cadastrar diretamente no nosso *site*
ou enviar uma mensagem para
imprensa@geracaoeditorial.com.br

GERAÇÃO EDITORIAL

Rua Gomes Freire, 225 – Lapa
CEP: 05075-010 – São Paulo – SP
Telefax: (+ 55 11) 3256-4444
E-mail: geracaoeditorial@geracaoeditorial.com.br